أحمد خالد توفيق

فِي مَمَرِّ الفِئْرَانْ

رواية

لمزيد من المعلومات عن الكرمة: facebook.com/alkarmabooks

توفيق، أحمد خالد.

في ممر الفئران: رواية / أحمد خالد توفيق – القاهرة: الكرمة للنشر، ٢٠١٦.

٣٨٤ ص؛ ٢٠ سم.

تدمك: 9789776467552

١ – القصص العربية.

أ – العنوان.

رقم الإيداع بدار الكتب المصرية: ١٣٢١٦ / ٢٠١٦

١٧ ١٩ ٢١ ٢٣ ٢٥ ٢٤ ٢٢ ٢٠ ١٨ ١٦

تصميم الغلاف: كريم آدم

مقدمة

هذه الرواية معالجة أطول وأعقد لقصة «أسطورة أرض الظلام» التي سبق نشرها ضمن سلسلة «ما وراء الطبيعة». من قرأ الأسطورة من الشباب فسوف يجد اختلافًا جذريًّا في العمق والحبكة والنهاية. أما من لم يقرأها فهو على موعد مع رواية جديدة أرجو أن تروق له.

ولعل السبب الذي دفعني لهذه المعالجة هو أن الفكرة بدت لي في رمزيتها ملامسة للواقع السياسي الذي تحياه شعوبنا العربية حاليًّا في مخاضها نحو الحرية والقيم الإنسانية العالمية. فهي بذلك تربة صالحة وملائمة لاستخدامها بشكل أكثر عمقًا من أن تكون قصيرة مقتضبة.

ولعله من المفيد أن أشير ـ من باب الاستئناس ـ إلى أنني لست أول من طوَّر قصة قديمة له، فقد فعلها «شريدان لو فانو» صاحب «كارميلا» كثيرًا، حيث قام بتحويل عدة قصص قصيرة له إلى روايات،

كما فعلها «روبرت هاينلاين» ـ صاحب «غريب في أرض غريبة» ـ مرارًا إلى حد دمج فصول كاملة من قصص قديمة في قصصه الجديدة. كما أن هناك من كتبوا نفس القصة لكن مع تغيير الراوي، على غرار «الرجل الذي فقد ظله» لفتحي غانم، أو حكوا نفس القصة مرتين مع اختلافات في الأحداث كما فعل «ستيفن كنج» في «المنظمون» و«ديسبيريشن».

أوجه جزيل الشكر لصديق العمر د. أيمن الجندي على ملاحظاته الدقيقة ونظرته الثاقبة، والعزيز سيف سلماوي، مدير دار الكرمة، الذي تحمل حبالي الطويلة بصبر ولم يقطعها.

أحمد خالد توفيق

٢٠١٦

أفكر أننا في ممر الجرذان

حيث فقد الموتى عظامهم

أي ضوضاء هذه؟

إنها الريح تحت الباب

«وما هذه الضوضاء الآن؟ ماذا تفعل الريح؟»

لا شيء.. نعم لا شيء..

«ألا ترى شيئًا؟ ألا ترى شيئًا؟

ألا تذكر شيئًا؟»

بلى أذكر.

هاتان لؤلؤتان

كانتا من قبل عينيه

«أحي أنت أم لست حيًّا؟ أليس في جمجمتك شيء؟»

من قصيدة «الأرض الخراب» لـ«ت. س. إليوت»

ترجمة: د. لويس عوض

مقدمة حتمية عن كابوس الشرقاوي
وكيف وجد نفسه في ممر الفئران

أغنية الوحدة

الليل والصمت..

الليل والصمت وأغنية الانهزام..

الليل والصمت وأغنية الانهزام وصحوة الجرح الذي لم يلتئم بعد..

الليل والصمت وأغنية الانهزام وصحوة الجرح الذي لم يلتئم بعد والشهوات التي لم ترتوِ قط..

أنت رخو.. ضعيف.. أنت عاجز عن مواجهة أي شيء.

هكذا يرقد الشرقاوي ناظرًا للسقف. ظلال الشارع المتراقصة تلهو وتتسابق هناك، كأنما هي الأشباح قد بدأت رقصتها المخبولة. يصغي لأنفاسه. لغطيط المرأة الراقدة على وجهها بقربه، وقد دست ذراعها تحت الوسادة كأنها وسادة أخرى.

زوجته.. بيته.. فراشه.. سقفه.. ليله.

اغترااااااااااااااب...

كل هذا له، لكنه لا ينتمي لأي من هذه الموجودات. أزمة وجود قد استفحلت واستطالت أنيابها.

في الشارع يتبادل شابان السباب على سبيل المزاح، وفي المزاح ألفاظ بذيئة جدًّا.. بذيئة لدرجة أنها جعلته يبتسم. لم يعد ثمة شيء قادرًا على جعله يندهش أو يتوجع. يشتهي لحظة من الألم الحقيقي الخام الصادق الصافي. يشتهي عاطفة لا يفلسفها. مرارة.. حزن.. ألم.. نشوة.. اشتياق...

هناك تدخل كل عاطفة إلى متجر الأزياء في ذهنه، وتضع الماكياج الفلسفي وتلبس ثيابًا لا تناسبها، ثم تخرج له زائفة مبهرجة لا تنتمي له. تعافها نفسه كعاهرة رخيصة.

أنت رخو.. ضعيف.. أنت عاجز عن مواجهة أي شيء.

الشرقاوي يشعل لفافة تبغ. لا يشتهي رائحة التبغ لكنه يشتهي رؤية حلقات الدخان في الظلام يتكسر عليها الضوء الخافت القادم من الصالة، كأنه يفرز أحلامًا من بين أنامله.

الشرقاوي في الأربعين من العمر. في سن كهذه يمكنك أن تعد نفسك محظوظًا عندما تجد شقة واسعة مريحة وتتزوج امرأة نصف جميلة، وتعمل في شركة هندسية ناجحة، وترزق بطفلين سليمين بلا عيوب خلقية في جدار البطن أو العمود الفقري، وأنت بصحة جيدة.. آخر فحص يؤكد أنك غير مصاب بسرطان القولون أو الفشل الكلوي. ستعيش طويلًا على الأرجح. ربما بعض البول السكري لكن هذا لن يقتلك على الأرجح.

يا معذبي.. أي عقلي الذي لن يرضى أبدًا ولن يهمد أبدًا...

أي عقلي يا ألد خصم لي على ظهر البسيطة.. أيها الحاقد الأعظم يا من لا يرضى.

عندما يبدأون في جراحات استئصال العقل، فلسوف أكون أول من يتطوع.

طفل مشاكس هناك بين عظام الجمجمة، يبلغك أنك انتصرت في المعارك الخطأ. أنت سعيد بأن كراتك تهز شباك المرمى، برغم أن هذه مباراة شطرنج. لا كرات على الإطلاق يا أحمق. أنت لم تنتصر.. أنت كسبت مباراة أخرى، وأجبت عن أسئلة لم تطرح، وظفرت بفرائس لم توجد، ونلت نساء لم تحبهن.

أنت قد هزمت وسحقت...

مديرك أقوى منك.. زوجتك أقوى منك.. أولادك أقوى منك.. المجتمع كله أقوى منك. أنت لا تقدر على ركل كلب في زقاق لأنه سيمزقك، ولا تجرؤ على تحدي ضابط شرطة أو مسؤول كبير لأنه سينهي مستقبلك. أنت لا تجرؤ على ذكر آرائك السياسية، ولا تجرؤ على مصارحة امرأة تشتهيها بأنك تشتهيها.. هذا بالطبع قبل أن تنتهي لفظة اشتهاء من قاموسك.. لا تجرؤ على ذكر رأيك في الدين أو المجتمع أو الناس. الكون هرم مقلوب يسحقك. الكون قد خرج للظفر بك، وأنت بلا مخالب.

أنت رخو.. ضعيف.. أنت عاجز عن مواجهة أي شيء.

لا تجرؤ حتى على مصارحة نفسك بمقدار ضعفك..

وماذا تريد؟ لا أدري.. لا أحد يدري..

في مراهقتك كنت تشعر بشوق لشيء ما لا تعرف كنهه. وعندما عرفت لفافة التبغ خطر لك أنها قد تكون الحل. الاختراع الذي ابتكره البشر ليعالجوا هذا الشعور. عندما تشتهي شيئًا ما لا تدري ما هو، فلربما كانت لفافة التبغ هي المخرج الوحيد. حمام المدرسة الإعدادية واستنشاق أنفاس سريعة قبل أن يضبطك أحدهم، ثم شراء أقراص النعناع.

هو اليوم بحاجة إلى لفافة تبغ أكبر بكثير.. لفافة بحجم الكون نفسه.. بحجم الثقوب السود.. بحجم الأنفاق الدودية بين المجرات..

يتنهد في الظلام...

كثيرون وقعوا في هذا الشرك الشعوري من قبل...

بعضهم وجد الخلاص في الدين، لكن روحك مغلقة صماء. كأن التدين يحتاج لغدة معينة وأنت جئت الدنيا من دونها. عندما ترى دموع الإيمان في عيون المؤمنين لا تفهم شيئًا.. بمَ يشعرون؟ هل هي هبة ربانية حرمت أنت منها، أم هم ينوِّمون أنفسهم مغناطيسيًّا لأنهم خائفون؟ خائفون من عدم وجود تفسير؟

بعضهم وجد السعادة في المال، وأنت تملك مالًا، لكنك لا تفهم كيف تحقق هذه الأوراق المعقدة ومشاكل المصارف والمحامين وقضايا الأراضي أي سعادة.. الحياة لا تستحق هذا التعقيد.

هل هو الجنس؟ الإفراط في الجنس هو خير طريقة للزهد فيه

ثم الاشمئزاز منه. اليوم صارت فكرة أن تضاجع زوجتك أو تعانقها تشعرك بتقلص في المعدة، ولولا سطوة علم الفارماكولوجيا وحبوبه الزرق لانهار زواجك منذ زمن.

للمرة الألف قرأ رواية «الشحات» لنجيب محفوظ، وشعر بأنه يدخل عالم الرواية فلا يقدر على الخروج. متى تجسس نجيب محفوظ على عقله؟

تلك الرؤيا المبهمة: أنت تقف في حفل ضخم عملاق والشاشات تنقل صورتك والكل ينظر لك بتبجيل وتقديس. هل لهذا معنى ما؟ هل هذا ما سيكون أو ما تتوق لأن يكون؟ الأحلام هي: «ما رأيناه.. ما سمعناه.. ما عرفناه.. ما نتمنى أن نجربه.. ما نحن مرغمون على أن نجربه.. ما تخيلناه.. ما هو طبيعة في أجسامنا». ما نوع تلك الرؤيا إذن؟

الليل والصمت..

الليل والصمت وأغنية الانهزام..

فلتنم.. فلتنم.. في الصباح سيمر اليوم سريعًا وتخلد للنوم من جديد.. ستفعل هذا وتواظب عليه ٣٦٥ مرة كل عام، ولمدة عشرين عامًا أخرى فقط، ثم ينتهي كل شيء.

فرااااغ... عودة لذرات النتروجين والكربون. تكف الإلكترونات عن التواثب كالبراغيث أخيرًا.

تنهد من جديد ودفن لفافة التبغ في المطفأة.

القرص المنوم قد بدأ يعمل. يرتجف خوفًا من اليوم الذي يعتاد فيه جسده هذه الأقراص ليتركه النوم وحيدًا مع وحوش أفكاره.. يتركه مع عقله. رباه.. لا أريد أن أواجه عقلي.. أنا أهابه كالموت.

لو كفت الأقراص المنومة عن العمل فلا سبيل سوى أن يقتل عقله.. يطلق عليه الرصاص أو يسممه ليصمت أبدًا. هذا الرأس يستأهل العقاب.

لكن اللحظة لم تأتِ.

القرص يعبث في كيمياء المخ.. موصِلات تتوقف ومواد تفرز ومستقبِلات تغلق.. الأبواب تنغلق الواحد تلو الآخر. جفناه يثقلان.

إنه ينام...

ينزلق في تلك الحفرة الملساء، ويتلذذ بالانزلاق. أن تترك جسدك في قبضة الجاذبية الأرضية وتكف عن المقاومة.

في نهاية الممر يقفون بانتظاره ليقودوه عبر عالم الحلم.

لا يعرف من هم.. يرى ظلالهم مستطيلة على الأرض شأن من يقف عكس ضوء ساطع. يسمع ضحكاتهم وضوضاءهم.

الليل والصمت..

الليل والصمت وأغنية الانهزام..

الليل والصمت وأغنية الانهزام وصحوة الجرح الذي لم يلتئم بعد..

كل هذا يبتعد وينأى عنه. يلتحم بأسرار الكون ويسمع همسات

الصخور لبعضها. للبحر لغة.. لا شك في هذا.. للعطور صوت عالٍ.. لضوء القمر رائحة.

ينزلق.. ينزلق أكثر.

* * *

في الصباح قال الطبيب إنها حالة غيبوبة. غيبوبة معتادة كالتي تصيب أي شخص في أي مكان. فقط قام بسحب عينات من الدم وحملوا الشرقاوي إلى جهاز الرنين المغناطيسي فلم يجد الجهاز شيئًا.. تحاليل الدم لم تجد شيئًا.. لا سموم.. لا عقاقير.. لا حمى مخية.. لا نزف دماغيًا.. لا فشل كبديًّا ولا كلويًّا.

إنه يتنفس بانتظام، وإن كانت عيناه تعبثان خلف جفنيه المغمضين. تعبثان بجنون وبلا توقف، مما يخبرك أنه يمر بمراحل النوم المتناقض التي يحلم المرء أثناءها وتتسارع دقات قلبه، ويرتفع ضغط دمه، ويصر على أسنانه.

هذا الرجل يحلم.. لكن بأي شيء؟

على الأرجح لن يعود ليحكي، ولو عاد لنسي ما رآه بالتأكيد.

دعني أنتحِ بك جانبًا لأخبرك بسر لا يعرفه سوانا. احترس! لا ترفع صوتك.. لا يسمعنك أحدهم. يجب أن أخبرك أن الشرقاوي انتقل لبُعد آخر. نعم.. هو ما سمعت.. إن جسده في عالمنا، لكن وعيه في بُعد آخر قصي.

ما لا نعرفه هو أننا عندما نحلم، فإن وعينا يسافر لبعد آخر ليمارس

حياة أخرى ويلقى أناسًا آخرين، ويعرف وجوهًا أخرى. «فرويد» لم يقل هذا، لكن دعني أخبرك أنها الحقيقة. بل هي الحقيقة الوحيدة.

لا تطول رحلتنا وسرعان ما نصحو من النوم بشعور مشعثة ورائحة أفواه كريهة، ونهرش جذعنا، لكن بقايا تلك الرحلة وتلك الخبرات تظل موجودة. نتذكر بعضها فنحسب أن هذا حلم. والفارق بين الحلم والذكرى الباهتة هائل. الحقيقة أنها ذكرى لا تبدو كذلك.

الشرقاوي قد ارتحل لبعد آخر، لكن غيبوبته طالت، وبالتالي هو ما زال هناك.. لا ذكريات.. هو حاضر طويل.

تفسير الغيبوبة؟ لا أعرف. أعرف فقط أن الشرقاوي انتقل لبعد آخر كما قلت، وأعرف أن رحلته عبر ممر الفئران قد بدأت ولن تنتهي عما قريب... ربما لن تنتهي أبدًا. صدقني.

ذكريات النور

١

أغنية نجوان

قال العراف: هناك غد..

قالت الأغنيات: هناك غد..

قال الأنبياء: هناك غد..

قالت أحلامي: هناك غد..

وعندما جاء المغول يحرقون القرى، ويكومون جثث الأطفال

قالوا إنه لن يكون غد

حقًّا لا أصدق..

لو أرادوا ألا يكون غد فعليهم أن يحاربوا كل العرافين..

كل الأنبياء.. كل الأغنيات.. ربما استطاعوا قهرهم

لكن أحلامي ستهزمهم.. ويكون غد...

من قصائد نجوان فريد النثرية

* * *

يجب أن نتذكر حياة رامي المليجي قبل الظلام..

عامة لا يوجد الكثير مما يمكن قوله، فهو شاب من الطراز الذي لا يتميز بشيء. وجه هو غطاء للجمجمة لا أكثر، وعينان لا تنطبعان في ذاكرتك. بعدما تراه وينأى عنك تكتشف أنك لم تعد تذكر ملامحه مهما طالت الفترة التي عرفته فيها. يمشي بطريقة لا تعلق بالذاكرة. يدخن بطريقة لا تعلق بالذاكرة. يضحك بطريقة لا تعلق بالذاكرة. إنه باهت لدرجة أنه نموذج مثير.

رامي قد تخرج في كلية العلوم قسم الجيولوجيا منذ فترة قليلة، وكان ينتظر توزيعه على مدرسة، وسط طوابير الخريجين الذين لا يعلقون بالذاكرة بدورهم. لا يمكن القول إنه يملك خلقًا قويمًا أو ثقافة شامخة. بالتأكيد لم يكن فاسقًا، ولم يلمس امرأة قبل الزواج، أو يدخن سيجارة حشيش، لكن يصعب القول إنه كان يستجيب لمُثلٍ عليا. فقط هو لم يرِد عمل ذلك.

لم يكن موفقًا في الدراسة، لكنه تحرك للأمام برغم كل شيء.

كانت أسرة رامي أسرة عادية متوسطة من الأسر التي يعود فيها الأب ليتناول الغداء وينام بعد الظهر، قبل أن ينزل للمقهى للقاء أصدقائه. بينما تعد الأم «المحشي» الذي ستأكله الأسرة غدًا، لتوفر الوقت.. ترصه بدقة في تلك الحلة التي ستضعها في الثلاجة.

الأب والأم خلقا ليكونا كذلك.. تلك الكائنات المملة التي كانت تجوب الشوارع في الستينيات، تتكلم عن الأشتراكية، وكانت أكبر مشكلة تواجه البلاد هي انتقال الفناجيلي للعب في «نادي الترسانة»، ثم انتهت الستينيات، ومعها انتهت آمالهما الشامخة

لتسقط من حالق مع أول قنبلة إسرائيلية سقطت في يونيو ١٩٦٧. لم يعد يسعدهما إلا انخفاض سعر اللحم ولا يتعسهما إلا ارتفاع سعر الطماطم.

لقد شاخا فعلًا. رحلة الحياة لم تكن رفيقة بهما كما هو واضح، لكنهما حيان ويتحركان على الأقل. لسبب ما يصر الشيوخ على أن تلتهب مفاصلهم ويضعف بصرهم، مع تلك العادة السخيفة: الإصابة بالسكري. بدا له هذا مبتذلًا. لكن هذا لم يمنعه من الشعور بالشفقة نحوهما، وكان يتذكر صورة مبهمة عن أبيه ذي الشارب الكث، مفتول العضلات، فكان يرتجف ويشعر بقلبه يتمزق.

أسوأ ما في الشيخوخة هو إدراكنا أننا لن نفلت من ذات المصير يومًا.

هناك الأخ المراهق علاء، الذي بدأ يكتشف أن لديه هرمونات وأعضاء جنسية، وأن هناك نساء في العالم. كان يحسده بحق على أنه قادر على أن يكون حيوانًا.

هناك الأخت المراهقة علياء، التي بدأت تكتشف أن مسحة لون أزرق على الجفنين تجعلها أجمل، بشرط ألا يراها الأب حتى لا يفتك بها، ومعضلتها الوحيدة هي إخفاء ذقنها المدبب الذي يشعرها بأنه ذقن أخناتون. تكذب كأنها الشيطان. لها حياة مستقلة تمامًا وويل لك لو حاولت السيطرة عليها، لأنها تتحول إلى نمر.

ثم عزة الأخت الكبرى.

لربما فاتها قطار الزواج أو هو يقترب جدًّا من أن يفوتها.

معلمة هي، من ذلك الطراز القلق الذي لا يعرف أبدًا ما يريده. لربما كانت تنتظر أن يعود الإسكندر الأكبر للحياة كي يتقدم لها. لعبت لعبة «ما ـ من ـ أحد ـ يستحقني» لفترة أطول من اللازم، وفي النهاية بدأت مرحلة «الوحدة ـ أفضل ـ شيء»، أو «أنا ـ مكتملة ـ من ـ دون ـ رجل»، أو «ماذا ـ ينقصني؟». لكنها تدرك أن الفرص تنعدم، وهو يدرك أنها تتعذب من القلق ومن الحرمان الجنسي. آلام ظهرها المستمرة وتلك الهالات تحت عينيها تقول الكثير. وكانت ترتدي الحجاب «عن اقتناع» أيامًا، ثم تنزعه «عن اقتناع» أيامًا أخرى، ثم ترتديه من جديد «عن اقتناع» وتغير شكله وطرازه ألف مرة كل يوم. تعلم كذلك من خبراته المحدودة أن هذه علامة أخرى على التوتر الجنسي. على الأرجح ستقبل أول طارق لو جاء.

عزة تتكلم طيلة الوقت عن حبها للحيوانات. يعرف أنها تحب الحيوانات جدًّا لكنها ـ فقط ـ تكره القطط والكلاب والفئران والأرانب والفقمة والحيتان والدببة والزراف ووحيد القرن ووشق الإستبس وذئب تسمانيا والجاجوار والقيوطي والنسر الأمريكي.

عزة تقول إنها تكره الرجال ويثيرون اشمئزازها، لكنها تحتفظ بألف صورة لذلك الممثل الوسيم أو ذاك.

عزة تقول إنها رقيقة جميلة، وتدعي أنها تحب الرسم، لكنها تقضي الوقت في رسم بنات دامعات ووجوه عصافير بالقلم الرصاص. هكذا

يمكنك أن تدرك أنها مملة كالكابوس. المعادل المرسوم لعبارة: «الذكرى ناقوس يدق في عالم النسيان».

كان يشفق عليها فعلًا، خاصة لو فاتها قطار الزواج وتوفي أبواه.. سوف تكون مسؤوليته الثقيلة للأبد.

بالمناسبة.. لماذا لا يبدأ اسمه بحرف العين؟ كان هذا يحنقه كأنه ابن غير شرعي لهذه الأسرة.

كان رامي يعيش في بناية متوسطة، في شقة متوسطة، وكانت له غرفة متوسطة ذات أثاث متوسط، يقاسمه فيها أخوه المراهق، المتوسط طبعًا. المكتب العتيق عليه كمبيوتر ومجموعة من الروايات الخفيفة وبعض مذكرات من الكلية، ولم تكن هناك مجلات عارية في الدرج كالعادة لأن هذا كان عصر الإنترنت.. لا ضرورة للاحتفاظ بأي أوراق، فالشهوات كلها في الفضاء السايبري.

فقط كان ينتهز الفرص التي لا يتواجد فيها علاء ليتفحص الشبكة العنكبوتية، وأثار ضيقه أنه بعد فترة لم يعد يجد أي إثارة من أي نوع، كأنه يشاهد معالم حجرته أو ألبوم صور قديمًا.

هذه كانت حياة رامي المليجي قبل الظلام. لا يمكن القول إنها كانت تبشر بالكثير، ومن الجلي أنه سيعيش ويموت خامد الذكر. سوف تنسى الأرض أنه مشى عليها يومًا، فقط يعيد للتربة بعض الكربون والنتروجين كانت أمه قد اقترضتهما من الوجود وحان وقت إرجاع القرض.

لكننا نعرف أن الظلام غيَّر الكثير من قواعد اللعبة بالنسبة له.

هذا حديث يطول على كل حال، ولا أجد المجال مناسبًا له الآن. سوف أتكلم عن دكتور مصطفى وعلاقته بهذا الشاب، وسوف أتكلم عن فاتن وماهر ونجوان.. لِمَ لا؟

٢

«عندما أرى عينيك أكره نفسي بلا سبب واضح».

دراسة رامي كانت سلسلة طويلة من الأيام المتشابهة، وحشدًا من المعلومات التي كان يلقيها على الورق إلقاء، ثم يخرج من اللجنة شاعرًا بارتياح من شَدَّ السيفون لتوه، حتى ليتوقع أن يقول له أحدهم: «شُفيتم».

لم يكن متحمسًا للعلم بحال، وإنما هو حماس من يمشي في درب لا يعرف من وضعه فيه ولا متى ينتهي ولا لماذا يمشي فيه. ذات نظرة إيليا أبو ماضي للحياة هي نظرته للكلية.

الكلية كانت أقرب لنادٍ يسمح له برؤية الشمس والخضرة وسيقان الفتيات، والتدخين، بعيدًا عن رقابة الأهل. وهناك، تحت تمثال الفلاحة القبيح التي تمسك بجرة يفترض أنها كانت نافورة يومًا، كان يجلس مع مختار وماهر وعمرو بالساعات، بلا هدف سوى تبادل المزاح البذيء أو سماع النظريات السياسية المخبولة من ماهر.

نعرف أنه قابل فاتن الصواف في هذا المكان، لكن هذه قصة طويلة أخرى.

فقط نذكر لقاءه مع دكتور مصطفى جودة.

دكتور مصطفى يدرِّس لرامي. ليس رامي ممن يهتمون بالعلم كثيرًا، لكنه كان يدرك أن هذا الرجل بارع، ويقال إنه حاصل على جائزة الدولة التشجيعية وإنه محترم في المحافل الغربية. في الخمسين من عمره هو.. قصير القامة، أصلع الرأس، له سمت يذكرك ببائع فول اعتاد أن يقف على ناصية شارع رامي. بالتأكيد لم يكن مصطفى مهيبًا أو موحيًا بالعلم، ويمكن القول إنه لا وجود للمرأة في حياته. لا توجد امرأة تتحمل قبلات ولمسات هذا النصب التذكاري الأصلع. لا بد أن يجد واحدة تقبل، لكنه لن يقبلها بالتأكيد، على طريقة «فأما الحسان فيأبينني، وأما القباح فآبى أنا».

أنت تعرف تلك الردهة الطويلة الكئيبة التي توجد في كل الكليات، حيث تتناثر مكاتب الأساتذة على الجانبين مع لافتات تحمل أسماءهم. هناك خزانات في الحائط يمكنك أن تستأجرها لتضع فيها المعطف وحاجياتك. أكثر من لوحة إعلان عليها أوراق ثبتت بدبابيس ضغط ولا يقرأها أحد أبدًا.

اليوم كان هادئًا قليل الصخب، وكان الحضور متدنيًا. لذا صارت الردهة كأنها بهو في بيت أشباح. يمكنك سماع صوت خطواتك وأنفاسك.

هكذا كان رامي يقف في الردهة يعالج مفتاح الخزانة. كان واقفًا في الظل ومن موضعه استطاع أن يرى باب غرفة دكتور مصطفى الموارب. هناك بارافان خلف الباب لكنه لم يكن في موضع محكم. هكذا هتك الستر.

كان ما رآه هو ظهر دكتور مصطفى، وكان يطوق فتاة بذراعيه.. كانت مستندة بظهرها إلى المكتب، ومن الواضح أنه يلثم شفتيها في نهم. كانت تقاوم.. لم تبدُ على درجة كبيرة من الرضا لكنها كذلك لم تبلغ درجة الصراخ. لكن الدكتور كان قد بلغ درجة من التهور العاطفي تجعله لا يبالي حتى لو صرخت.

لم يدرِ رامي ما يفعله. وقف مسمَّرًا شاعرًا بالحيرة، هناك في الظلام. لسبب ما شعر بالذنب كأنه قد تلصص عمدًا. هل يرحل؟ المشهد قد جعل ساقيه تفقدان الحركة.

يرى وجه الفتاة بوضوح.. زميلته في الصف فاتن. الجمال المتعالي ولعبة «لا ـ أحد ـ يستحقني» الشهيرة. لا بد أن كل شاب في دفعته الصغيرة كان يحلم بها. نموذج للجمال الأنثوي المهيب، فلا شك أن مثيلاتها كن كاهنات في معبد «دلفي» أو معبد حتشبسوت.

هذا جعل المشهد يبدو له نوعًا صارخًا من انتهاك الحرمات. اللذة المحرمة المختلسة جعلته يشعر بمزيج من اشمئزاز وإثارة وصدمة. الصنم المقدس ينهار والفؤوس تفتته إلى قطع. كاهنة «دلفي» واقعة في أيدي الدهماء ينتهكونها...

هنا سمع حفيفًا في نهاية الممر.

استدار للخلف فرأى عامل القسم قادمًا بخطوات واثقة حثيثة، والسيجارة بين شفتيه وسيجارة أخرى وراء أذنه. يلبس خفًّا فلا تصدر قدماه أي صوت على السيراميك. الفلاح الأسمر الذي جففه الجبن المالح والفجل والبلهارسيا والفلاحة في الشمس، لكنه ظل قادرًا على الوقوف على قدميه.

لا يعرف رامي لماذا فعل ذلك، لكنه وجد نفسه يقرع الباب في حزم.. الباب الموارب الذي تدور ملحمة الاشتهاء خلفه.. ثم تنحنح ودخل بسرعة.

الفترة كانت كافية كي يستعيد الدكتور مصطفى رباطة جأشه، وكي تستجمع الفتاة نفسها وشعرها المبعثر الذي غطى عينيها وتعود لوضع الوقوف، ونظرة مندهشة خائفة في عيون الاثنين. لقد رأى!

لكن رامي وقف بلا كلمة واحدة. لم يتحرك ولم يرسم أي تعبير على سحنته.

في اللحظة التالية أطل العامل من الباب الموارب:

ـ أنا منصرف. هل تريد شيئًا يا دكتور قبل رحيلي؟

ونظرة سريعة تفحص بها الفتاة ورامي والدكتور.. ثمة شيء مريب في عين دكتور مصطفى وفي وقفة الفتاة وثيابها المشوشة، لكن ما التفسير؟ لا يمكن أن يحدث ما يرتاب في أنه حدث في وجود شخص ثالث.

هكذا اتسعت عيناه في تنمر، بينما مصطفى يقول بصوت مبحوح كذوب:

ـ شكرًا يا عبد الخالق. سأنصرف خلال ربع ساعة.

فتح رامي المذكرة التي كان يحملها كأنما كان يستشير أستاذه في شيء عندما جاء العامل. ومن جديد عاد العامل يبعثر نظرات الشك ثم انصرف...

ساد صمت ثقيل. الكل يتنفس بصعوبة. لعل أسوأ المواقف وأصعبها كان موقف رامي نفسه. في عينيه نظرة تقول: «أنا لم أرَ الكثير». أما الفتاة فهي شجرة الدُّر التي جروها عارية في شارع القاهرة.. جبل الهيبة الأنثوية قد تهاوى. دكتور مصطفى راح ينظر لرامي في ثبات، كأنه يقول له: «هلم ابتسم بخبث.. سأعطيك فرصتك كاملة».

في اللحظة التالية نظرت فاتن للأرض. أغلقت زرين في قميصها والتقطت كراسات محاضرتها وانطلقت هاربة من الغرفة. هل رأى في الماضي لوحة كهذه تمثل غانية تفر من فضيحة أو اغتصاب؟ لا يذكر.. لكنه رأى شيئًا كهذا يقينًا.

عاد دكتور مصطفى إلى ما خلف مكتبه وجلس وهو يلهث.. يلهث من فرط إرهاق ومن فرط انفعال ومن فرط شهوة.. كمية هائلة من الأدرينالين يحاول جسده أن يزيلها. مسح العرق من على جبينه ثم نظر لرامي للحظة.. أدرك من عيني الفتى أنه رأى كل شيء. بصوت مبحوح سأله:

ـ هل تريد شيئًا؟

فكر رامي بسرعة في إجابة:

ـ الأجزاء التي تم حذفها من المنهج و...

ـ تعالَ واجلس بجانبي.

كلاهما كان شارد الذهن لا يستطيع استجماع أفكاره. مصطفى يفكر: «الفتى رأى الكثير لكن أحدًا لن يصدقه.. سوف يحدث ضوضاء لكن أحدًا لن يتصور أنني بهذه القذارة.. أنا نفسي لا أتصور. لربما أمنحه بعض المزايا وبعض الدرجات لكن ليس له أن يتوقع أكثر». أما رامي فكان يفكر: «سوف يخسف بي الأرض خسفًا.. أنا شاهد خطر».

امتدت يد دكتور مصطفى وراح يخط أشياء في المذكرة.

ـ هذا الجزء... لا. هذا الجزء... ألغيته. هذا الجزء...

وفجأة تصلب ونظر لرامي الجالس جواره وهمس:

ـ ماذا رأيت؟ وماذا فهمت؟

نظر له رامي في حيرة، فهو لم يتوقع أن يكون الأمر مباشرًا هكذا. بهذه البساطة إذن؟ لم يرد. وفجأة سمع صوت التهانف.. صوت البكاء المكتوم.. وأسقط دكتور مصطفى عويناته ليغطي دموعه بأنامله...

يبكي!

نهض رامي موشكًا أن يربت على كتفه معزيًا، ثم أحجم. ماذا يثير الشفقة في أن يقبِّل الأستاذ طالباته الحسناوات؟ بالتأكيد لا يستأهل العزاء.

من بين العبرات همس دكتور مصطفى:

- هي.. هي تحرشت بي. كانت تريد تعديل درجاتها وأنت تعرف.. قميص سيدنا يوسف.. هيت لك.. هيت لك.

لم يرد رامي وظل يرمقه بنظرات خرساء.

بحث في روحه عن كراهية أو احتقار أو تقزز فلم يجد شيئًا. أثار هذا رعبه. كأن هذا أكثر المشاهد طبيعية في العالم. لكن نظراته قالت إنه رأى الكثير فعلًا. ليست القصة بهذه البساطة. أنت تكذب يا سيدي...

مر صمت ثقيل.. كل الصمت ثقيل هذا اليوم. ثم قال دكتور مصطفى:

- ليكن.. جاءت مكتبي تسأل عن بعض أجزاء المنهج. بدت لي... الشيطان.

لم يكن استكمال الكلام ضروريًا. إنه الاعتراف الكامل.. كلمات يمكن أن تملأ ما بينها كما في امتحانات اللغة. المصيدة القدرية نصبت ببراعة وحنكة. الفتاة وحدها.. القسم شبه خالٍ.. الفتاة فاتنة.. الشيطان شاطر.. لحظة تجد نفسك بعدها متحرشًا أو مغتصبًا، ولا يقدر رامي على أن يلومه كثيرًا. عندما تلقي كوبًا من

الشرفة فلسوف يتهشم على الأسفلت مهما كانت مُثلك العليا. كانت الفتاة تقاوم لكنها ليست من الطراز الذي يصرخ. ما كان شيء جدي ليحدث لأن العامل كان سيقاطع المشهد. لكنه لم يكن ليصمت كما صمت رامي.

دكتور مصطفى غير متزوج. بالتأكيد قضى أعوامًا لا حصر لها يحلم بذلك الكون الفردوسي البعيد: المرأة.. الكهف المقدس بين ذراعيها حيث لا تعصف بك الأنواء. نعمة الأنوثة التي لا ينالها سوى الآخرين.. الآخرون فقط يمرغون أنوفهم في شعر معطر لأنثى، أو يدفنون شفاههم في نحرها. أما هو فقد كُتب عليه أن يموت كالنُساك.. الناسك الذي لم يرد أن يكون ناسكًا.

كان الأمر أقوى منه، كاسحًا كالسيل. يمكن لرامي فهم ذلك.

نظر دكتور مصطفى لعيني رامي فعرف الحقيقة. الفتى قد اقتحم الغرفة لينقذ سمعته فعلًا. لو لم يفعل لكان العامل يبتزه. وهو يدرك جيدًا من عيني رامي أنه لا يريد ابتزازه.

رامي هو الآخر لم يستطع أن يحاكم الرجل. بدا له أقرب للبشرية ويختلف عن ذلك الصنم الذي يدرِّس لهم طبقات الأرض. شعر بأنه يستطيع أن يحبه.

العلاقة بين الأستاذ والطالب انقلبت بشكل ما، فصار الأستاذ مدينًا للطالب بكل شيء. كيمياء معينة لعبت بين الروحين، فأدرك كل منهما أن الآخر صديقه.

ولدت صداقة طويلة من أغرب الطرق. لكن أهم ما حدث هو أنهما لم يتبادلا حرفًا بصدد ما حدث، ولا لحظة الانهزام تلك. كأنها لم تكن. بل أجرؤ على قول إن الفتى نسي ما حدث تمامًا.

بالطبع حدث هذا قبل الظلام.. عندما كانت هناك نظرات أعين...

٣

كان رامي قد اعتاد درجة معينة من سوء الحظ فيما يتعلق به في أي شيء، لكن هذا لا يكفي لجعله متميزًا. عندما يُجري تحليلًا طبيًّا ويذهب لأخذ النتيجة لا يجدونها أبدًا. عندما يوزعون الكراسات في المدرسة لا يجد كراسته أبدًا. البطاقة الشخصية الوحيدة الناقصة هي بطاقته. حتى في علاقات الحب كان يشعر بأن كل شاب ظفر بواحدة باستثنائه، كأن الله خلق عدد النساء مساويًا لعدد الرجال إلا امرأة واحدة. هكذا لم تكن لديه واحدة.

في الأيام التالية التقى بفاتن عدة مرات، في الصفوف العملية أو قاعة المحاضرات. كانت عيونهما تتلاقى فيشيح بعينيه محاولًا ألا تراه. لكنه في كل مرة كان يضبط ذلك التعبير المميز على وجهها: «لقد رأى!».

مزيج فريد من المقت والتوتر والخجل والغضب والاستشهاد والاحتقار والتوجس والتوسل.

كان هو يتساءل بدوره: «ما ذنبي؟ علامَ تكرهني لهذا الحد؟».

كان يهوى الأفلام الأمريكية، وقد رأى مرارًا تلك الحبكة. شاهِد يتواجد في المكان الخطأ والزمان الخطأ ثم يكون عليه دفع ثمن حظه العاثر، لأنه عرف أكثر مما ينبغي. هو رأى الكثير وهي تتمنى لو تخلصت منه.

أدرك أنها لا تنام تقريبًا، وأنها مرهقة. الهالات تحت عينيها وبشرتها الشاحبة تشي بذلك، كما أنها صارت أميل لارتداء عوينات سوداء كأنها تخفي تورم جفونها. لقد صار المشهد كابوسًا يطاردها بإلحاح. «لماذا تلومني عليك اللعنة؟ أستاذك هو من تحرش بي». «ولماذا تلومينني يا حمقاء؟ أنا تواجدت بالصدفة ولم أتهم أحدًا».

لكنه كذلك يعرف أنها ليست بريئة جدًّا. لماذا قصدت مكتب الأستاذ في هذا اليوم والقسم كله مقفر؟ ليست بريئة أو هي حمقاء ساذجة جدًّا.

وبكر أتت حجرتي موهنا   يقود خطاها غرور الصبا

هل كان هذا شعر شاعر المهجر نسيب عريضة؟ على الأرجح هو فعلًا. التاريخ يكرر نفسه كما يبدو.

* * *

اللقاء تم في المقهى.

أنت تعرف ماهر وميوله الثورية.. إنه من هؤلاء «الجيفارات»

الموجودين وسط كل مجموعة طلابية. هناك دائمًا شعلة للثورة والتمرد في كل دفعة، وهذه الشعلة قد تتخذ طابع «جيفارا» اليساري شبه الماركسي، أو طابع سيد قطب المتزمت المطالب بالحاكمية لله. كان ماهر أقرب لجو «جيفارا». ربما كان من الواجب أن أصفه كي أضعك في الجو، وأن أصف طول شاربه وشكل أذنيه وعاداته في التدخين، لكن لا جدوى من هذا لأنني لا أتوقع أن يكون له دور مهم سوى أنه رتب لنا هذه المصادفة.

على سبيل الملل ذهب رامي مع ماهر إلى ذلك المقهى، وكان ماهر يعده بقضاء ليلة مختلفة مع أشخاص مختلفين.. هناك الكثير من المرح كما قال، وهو مرح ـ في رأي رامي ـ يمكنك أن تظفر بأكثر منه في أي سرادق عزاء.

يمكنك أن ترى أن المقهى يقع في زقاق ضيق، والأرض مرصوفة بالحجارة التي لم يبقَ فيها حجر غير مهشم، ومزينة بفسيفساء من أعقاب السجائر والبصقات. وقد تناثرت مقاعد مغبرة هنا وهناك في الخلاء، بينما هناك نباتات مثل الريحان وإيد مريم زُرعت في صفائح سمن فارغة امتلأت بالتراب، وهناك أكثر من قط ينتظر أن يلقي له أحدهم لُقيمة ما، غير عالم ـ البائس ـ أنهم يشربون ولا يأكلون. هناك مطرب يلبس «بيريه»، يمسك بعود ويضع ساقًا على ساق ويدندن، بينما يتابعه الشباب بالتصفيق.

منذ اللحظة الأولى أدرك رامي أن السمة العامة هي الافتعال. جو زائف تمامًا. تقمص جو حوش قدم والشيخ إمام دون أصالة.

الأغاني ساذجة وواضح أنها تحاول التقليد بلا براعة. يعرف هذا الجو الثوري الصناعي.. يعرفه ويمقته. لا بد من شعر ركيك وغناء نشاز.. ثم بعد هذا لا بد من شرب البيرة وتدخين الحشيش. المحظوظون قد يجدون فتاة يأخذونها لشقة أحدهم، وطبعًا عند أول مشكلة أمنية سيبلغ الكل عن الكل ويتبرأ الكل من الكل.

عرف أنها ستكون ليلة سوداء. البداية مملة فكيف تكون النهاية؟

هكذا جلس في تعاسة وراح يتظاهر بالتصفيق على سبيل المجاملة. شعر بذلك الشعور الرطيب الذي يُشعر الرجال بوجود أنثى من دون أن يروها. التفت فرأى ثلاث فتيات يجلسن في أطراف الدائرة ويصفقن. يعرف اثنتين فهما من نفس الدفعة.. نجوان المجنونة شبيهة ماهر هنا طبعًا.. الثائرة الأبدية على شيء ما. أما الثالثة فلا يعرفها. ثم توقفت عيناه عند واحدة من الفتاتين. فاتن! فاتن هنا بالذات!

تتردد الأغنية السخيفة وهم يصاحبونها بأصواتهم:

وطنـي صحانـي مـن جـوه　　　قال لي قوم دافع عن عرضي
قال لـي الظالـم خدني بقوة　　　وبيرضـع خيري مـن نهدي

لا بد من نهدٍ ما في الموضوع. كلام فارغ عامة، لكنهم كانوا في حالة من افتعال الثورية جعلتهم يندمجون جدًّا. ولاحظ أن فاتن بدورها لا تنتمي لهذا الجو، وليست من فتيات هذه النوعية من البشر. ما زالت النظرة المكتئبة الحيرى في عينيها لكنها تحاول التظاهر بالمرح. واضح أنها جاءت هنا لترى ما يقولون ويفعلون

دون أدنى ذرة اهتمام. تحاول أن تنسى على الأرجح أو تفقد نفسها وسط الزحام والصخب.

وفجأة استدارت فالتقت عيناها بعينيه.. جحوظ...

مشاعر عديدة عبرت وجهها. كأنها ترى ضميرها يراقبها على بعد أمتار. ابتلعت ريقها وبدا أنها موشكة على الانسحاب.

هذه المرة تخلى عن جموده الأسطوري.. خلال لحظات هرع ليجلس في المقعد الخالي جوارها. عيناها الجميلتان نظرتا له في حيرة. جميلة فعلًا.. رباه. لا يجب أن تكوني جميلة بهذا القدر. هذا يجعل المرء لا يشعر براحة. يجعل الحياة أعقد. ثمة درجة مطلوبة من القبح فيمن نتعامل معهم لتستقيم الأمور. لكن هذا وجه خُلق ليُرسم أو يُعبد.

فجأة وجد يده تمتد لتمسك بمعصمها.. لم تقاوم. هل هو الابتزاز؟ جاء ليحصل على ثمن صمته؟

قال لها وفي كلامه بعض الكذب بالتأكيد:

ـ أعرف جيدًا ما حدث.. القصة لا تتجاوز أستاذ جامعة تحرش بطالبة حسناء.. طالبة قصدت مكتبه لغرض علمي بحت.

نظرة كراهية ترقرقت في عينيها، وراحت تعبث في سوارها بعصبية.

ـ أنت تتلاعب بي.

ـ لا شيء يدفعني لذلك.. يمكن أن أكون أكثر مباشرة، فأنا رجل ملول قصير النفس، لكني بالفعل لا أريد حرفًا أكثر مما أقول.

ـ وما الذي تقوله؟

ـ أنا لم آتِ خلفك عمدًا.

ـ هذا أصدقه.. أنا نفسي لم أدرِ أنني قادمة هنا.

ـ ولم أتعمد لومًا ولا أبتغي شيئًا.

اتسعت عيناها:

ـ إذن ماذا تريد؟

في غيظ قال:

ـ هل يجب أن أريد شيئًا؟ لنقل إنني أريد أن تتركيني وشأني.

ـ أنا أتركك وشأنك؟

ـ من العسير أن نمارس حريتنا وهناك من يحسب كل خطوة نقوم بها ألعوبة قذرة أو نوعًا من الوقاحة السافلة الدنيئة.. الشعور المزمن بالذنب دون أن أقترف ذنبًا! عندما أرى عينيك أكره نفسي بلا سبب واضح.

هذه المرة ضحكتْ.. بدأت الابتسامة على وجهها العابس، كأن مياه النيل تجري عبر أرض جافة متشققة فتندي.. إنها الضحكة.. لا شك في هذا.

المطرب عديم الموهبة ما زال يغني:

قال لي الظالم خدني بقوة   وبيرضع خيري من نهدي

فيردد الجالسون متظاهرين بأنهم مناضلون يبيعون حياتهم من أجل الوطن:

وبيرضع خيري من نهدي

* * *

لم يكن رامي هناك.

كان يمشي مع فاتن في الزقاق نصف المظلم، ودون أن يتعمد ذلك انسابت أنامله تمس أناملها.

ـ هل تهتمين بالثورات والتمرد حقًّا؟

ـ لا أهتم بشيء.. فقط أتظاهر بأنني أهتم.

٤

«عندما أرى عينيك أكره نفسي بلا سبب واضح».

هي جذوة الحب المقدسة.

الخدعة التي لا تموت أبدًا، والتي توضع كالزجاج الملون فوق عالم رمادي كئيب باهت فيتوهج بألوان قوس قزح. روحك المترسبة في نخاع العظام منذ دهور قد بدأت تذوب وتتدفق. أنت تحب. وقعت في غرام العالم الرتيب السخيف من حولك، وانضممت إلى ذلك النادي الذي طالما سخرت من رواده.

أنت تكرر كل أخطاء الآخرين.. تعيش كل حماقاتهم.

الآن يمكنك أن تنصت للأغاني وتقرأ قصائد الشعر.. لقد دبت الحياة في هذه الديناصورات المتحجرة من العصر الجاهلي.

يمكنك أن تقلب صفحة جديدة في كتاب روحك.

لسبب ما أحبتك فاتن...

ربما هو مزيج غامض من الامتنان.. من اللذة الماسوشية التي تجعلها تعشق معذبها.. من عقاب النفس.. من التطهر.. من الاحترام.. من الألفة.

خليط بالغ التعقيد ولا يمكن فهمه. من ذا الذي يقدر على فهم نفسية فتاة؟ بل من ذا الذي يقدر على فهم نفسيتك؟

هكذا صارت الكلية مكانًا ساحرًا. يمكنك أن تحلم بقضاء يوم هناك، وعندما ينتهي اليوم يمكنك أن تغادر وأنت تمس أطراف أناملها بتلك الطريقة التي تجعلها تتدفق في دمك كالخمر.

الكل صاروا ينظرون لكما ويبتسمون في خبث.

الكل صاروا يعرفون.

الكل صاروا يتكهنون ويطلقون الإشاعات، وتلقيت أكثر من مرة التهنئة بموعد الخطبة القريب.

كنت تدرك أن هناك حسدًا واضحًا. هي أجمل طالبات الصف، وأنت بطل اللاتميُّز. أنت اللاأحد مجسدًا يمشي على قدمين. كل إنسان في الكون يرى نفسه أجدر بها منك.

لكن لديك مزية واحدة تجعلك تستأهل فاتن.. المزية هي أنها تميل إليك. الفتى الذي تميل إليه فاتن يغلو سعره كثيرًا جدًّا.. وهكذا صرت جديرًا بها! ومن الغريب أن هذا جعل باقي فتيات الدفعة يملن إليك.

كانت تلك أيام الحلم. لم تكن هناك هموم ولا مسؤوليات. فقط تبتاع شرائط موسيقى هادئة تهديها لها، ولربما كتبت بعض سطور

بلهاء في خطاب. المستقبل ليس سوى روضة ممتدة من امتزاج الأنفاس وتلاقي النظرات والحلم. هل بعد ذلك بعد أو قبل ذلك قبل؟

كانت هناك مشكلة تقلقك هي موقف دكتور مصطفى. ما هو رد فعل الرجل وهو يرى الشابين العاشقين؟ الفتاة التي تمنى أن ينالها، وفقد وقاره أمامها، قد صارت لتلميذه.

لكن مصطفى تصرف بطريقة طريفة بحق، لعلها من ميكانيزمات الدفاع الفرويدية المعروفة. نسي تمامًا ذلك الموقف. محاه من ذاكرته ولم يعد يعترف به. وهكذا فقط استطاع أن يعود لممارسة الحياة وأن ينظر في عيون الطلاب.. وفي عيني فاتن ورامي.

قالت فاتن همسًا:

ـ أشعر بالشفقة عليه.. إنه غريب كأنه قادم من كوكب آخر.

وهنا لاحظت بالفعل أنه يشبه الغريب غير الأرضي «إي تي» كما يبدو في الأفلام، بعنقه الطويل وقامته القصيرة ورأسه الأصلع والعينين الجاحظتين. وابتسمت.

لكنها ظلت تتحاشاه وتهابه برغم كل شيء. سوف يحتاج لوقت طويل كي يبرأ من ندوب الحادث ويتحرش بطالبة أخرى. لكن لن تكون هي حتمًا.

وفي كل يوم تقريبًا كان رامي يذهب وحيدًا لمكتب دكتور مصطفى فيجلس كأنه يألف المكان، ويتبادل الكلام مع الدكتور كأنهما صديقان. لم يكن مهتمًّا بالعلم لهذا الحد، لكنه كان يختلق

أسئلة علمية تبرر هذه الزيارات. وكان دكتور مصطفى متأهبًا للإجابة في كل وقت. آراؤه العلمية منتقاة بعناية، لكنه ساذج كطفل في السياسة والدين والجنس، كما أن إلمامه بالفنون صفر.

علاقة ثلاثية عجيبة تكونت من المتحرش، والتي تم التحرش بها، والشاهد المنقذ. ومن الغريب أن الطرف الثالث كان على علاقة وثيقة بالطرفين الآخرين.

وفي غرفته كان رامي يرقد على الفراش ويرمق السقف، ليرسم عليه ألف قصة حب وألف مشهد عاطفي ويبتسم. يبتسم عندما يرفع أخوه علاء صوت الكمبيوتر. يبتسم عندما ينزع علاء جواربه العفنة. يبتسم عندما يختلس علاء نظرة ليرى إن كان نائمًا ثم يفتح موقعًا من المواقع الإباحية. يبتسم عندما ينقطع التيار الكهربي فالظلام ينعش الأحلام، ويبتسم عندما يعود التيار الكهربي فالنور خادم البهجة. يبتسم عندما يشعر بالصقيع، ويبتسم عندما يغمره العرق فيشعر أنه يختنق. يبتسم عندما يتذكر كل الحمقى التعساء الذين ليست لديهم فاتن. كانت تشعره بأنه أفضل.. معها يغدو أذكى وأظرف وأسرع بديهة وأكثر تفوقًا.. بل كان يبدو أجمل وأرشق.

لكن العام الدراسي الأخير كان موشكًا على الانتهاء.

رائحة أزهار البرتقال والحقول المحروثة كأنها رائحة الهرمونات نفسها. نداء الخلق. تلك الرائحة كانت تذكره بأن أيام الكلية الوادعة قد ذهبت، وأن عليه أن يفعل شيئًا بعد التخرج. هناك الجيش ثم هناك المهمة الأخطر والأشد وطأة.

عليه أن يجتاز ذلك المدخل ويطلب يد فاتن، إذا أراد أن تكون له للأبد. وكان يعرف أن نتيجة ما سيفعله هو أن يفقدها للأبد أيضًا. وضعه الاقتصادي والمالي أدنى للإهانة لأبيها. كأنه جاء ليسخر منه. ما زال بينه وبينها محيط، وهذا المحيط يجب أن يملأه بالجنيهات والدولارات والذهب والوعود.

لا يدري كيف.

الأيام تتسابق كأعمدة النور التي تراها من نافذة قطار.. قصة حب توشك على أن تفنى وتحترق لتصير رماد ذكرى. سوف يتذكرها ويتألم.. يتذكرها ويبتسم.. يتذكرها ويكتب شعرًا.. يتذكرها ويزداد حكمة وعمقًا، بالطبع وهو جالس جوار سامية أو خديجة أو عزيزة.. أي اسم آخر سوى فاتن. في كل الحالات سوف يفقدها.

قال لها وهو مطرق:

ـ أمقت الغد.. أعرف أنني سأفقدك.

ـ الغد عدونا المشترك.. يكمن عند الناصية القريبة ينتظر.

الغد هو الفراق والتنائي، وهو العريس الجاهز الذي سيهبط من علٍ ليحتملها بمخالبه.

تمنى لو يجد الشجاعة كي يخطفها أو يفرا معًا ليتزوجا في دغل لا يعرف أحد مكانه، أو تقاتل هي وتبتلع السم من أجله. لكنه كان من الطبقة الوسطى وهي من الطبقة الوسطى. ملل.. سيطرة كاملة

على العواطف وافتقار تام للتهور والجموح. سوف تصير الأمور إلى المصب المقدر لها. لا معجزات...

بالطبع أنت تعرف أن معجزة حدثت، وأن هذه كانت الأيام السابقة لسقوط النيزك. لكن دعنا لا نستبق الأحداث. سأحكي كل شيء في وقته.

٥

في البدء تكون إشاعة..

تنتقل همسات من حين لآخر. البعض يحسبها مزحة. البعض يقول إنها سخف من الهراء الذي يملأ الشبكة العنكبوتية.

ثم تتضخم الأكذوبة.. تكتسي بثياب من الحقيقة.. ليست أكذوبة أبدًا.

ثم تبدأ المحطات العربية في الكلام عن ذلك.

يديرون مؤشر المحطات إلى قنوات غربية، وللمرة الأولى يفعلون ذلك ليعرفوا، وليس ليتذوقوا البورنو. وهنا يدركون أن الأمر أخطر من إشاعة.

إنه الحقيقة.

إنه المصير.

إنه النيزك.

النيزك الذي يقترب من الأرض بسرعة جهنمية، والذي يتحول

إلى حقيقة مروعة لها طول وعرض وارتفاع. إنه الشيء الحقيقي. إنه الكابوس الذي تجسد.

طه حسين حكى عن نجم هوى على الأرض في طفولته فراح الناس يصلون ليلًا ونهارًا، ويرددون: «يا لطيف يا لطيف»، متوقعين أنها النهاية، لكن النجم لم يمس الأرض، وقالوا إن السبب هو أن مصر أم الدنيا ومحروسة، وهو سبب ليس علميًّا جدًّا لكنه مقنع. لم يخبرنا إن كان النجم حقيقيًّا أم هي أسطورة تداولها الفلاحون.

اليوم هو نيزك حقيقي، يمكنك أن ترى صورته وتقيس أبعاده وإشعاعه الحراري وتعرف مكونات كتلته وتحلله طيفيًّا. الأمر أقوى من الشائعات.

قال عالِم من «ناسا» ظهر على شاشة التلفزيون، ونقل كلامه مترجمًا:

ـ هذا نيزك غريب الأطوار.. لا نعرف من أين جاء ولا لماذا قرر أن يدمر عالمنا، لكن النتيجة الحتمية هي أنه سيصدم كوكبنا.. لتكونن هذه هي نهاية الحضارة كما نعرفها.

هذا تعبير محبب عند الغربيين: «The end of civilization as we knew it». حلم كُتَّاب الخيال العلمي وصُناع الأفلام. كلٌّ منهم كان يتوق ليوم أسود كهذا وتخيله ألف مرة، وقد تحقق حلمهم.

ـ هل يوجد حل ما؟

ـ لربما كان هناك حل لكننا لا نعرفه.

ـ هل هو يوم القيامة؟

ـ لا أعرف إن كان هو يوم القيامة أم لا، لكنه بالتأكيد نهاية كوكبنا.

وفي قناة أخرى ظهر عالِم ضحوك أقرب لفيلسوف وصل لسر الكون، وقال:

ـ يجب ألا نقلق. الكون شاسع والنجوم مليارات. كلها شموس. فلو هلكنا نحن فلسوف تبقى في الكون حياة، ولسوف يبقى بالتأكيد ذكاء حول واحدة من تلك الشموس. سوف تنتهي المسرحية على خشبتنا لتبدأ على خشبة أخرى على بعد ملايين السنين الضوئية.

تلقى الكثير من السباب بالطبع. لا يعنيني أن يفنى الكون أو يبقى بعد رحيلي. فليذهب للجحيم. النفع الوحيد للكون كله هو أن يكون خلفية صورتي الشخصية. خُلقت النجوم كي أنظر إليها ليلًا وأحلم. فإن رحلت أنا فلن يعزيني في شيء أن تظل النجوم تتوهج من بعدي. فلا نزل القطر.. لا نزل القطر.

مع الوقت والأيام بدأ الخطر يتضح ويكتسب حضورًا ثقيلًا مؤكدًا. ما كان إشاعة فدعابة فاحتمالًا صار حقيقة لا غبار عليها. وبالفعل صار بوسع بعض الهواة الذين يملكون مراقيب قوية أن يروا النيزك من بعيد.

ـ هل هو يوم القيامة؟

ـ قد عم الشر والخبث، وشاء الله أن يذهبنا ويأتي بخلق جديد.

ـ قد تخلينا عن ديننا فهلكنا.

كان الناس ـ في مصر على الأقل ـ يلتفون حول أجهزة التلفزيون والمذياع قلقين، يتابعون المسيرة الإغريقية الكريهة لذلك النيزك الذي يقترب من الأرض بلا هوادة، والذي قيل إن محيطه قريب من محيط المحيط الهادي.. أي إن حجمه يماثل حجم القمر. لن تتحمل كرتنا الأرضية هذا الارتطام أبدًا...

يبكي الناس ويتعانقون في الشوارع.

وفي شوارع الغرب ظهر العرافون المخابيل الذين يظهرون دومًا في هذه المناسبات التعسة، تهتز لحاهم وتتوهج النيران في عيونهم، وهم يلوحون بلافتات كتب عليها أن النهاية قريبة: «The end is nigh».

وفي كنائس الزنوج في «نيو أورليانز» راحوا ينشدون صلوات «البلوز» بأصوات رخيمة. طيلة الليل يمكنك أن تسمع لفظة «جيزاس» لا تكف عن التردد...

* * *

لا يذكر رامي عن تلك الفترة إلا الهستيريا العامة.

الناس يصرخون ويبكون.

أحيانًا تُكلم الشخص فيرد عليك في طلاقة ومرح، ثم ينفجر في البكاء والنهنهة كعادة الهستيريين، كما أن موضوع الإجابات غير

الدقيقة كان شائعًا: خمسة + خمسة = تسعة أو ثلاثة عشر. هذه من علامات الهستيريا المهمة.

التوتر العام.. القلق.. الشفاه المرتجفة.

في الليل تخرج سيارات الشباب تنهب الأرض نهبًا وهم يصرخون كالمجانين، ويعاقرون الخمر. بينما يرددون أغنية سيد درويش المنسية:

وما دام الدنيا ماهيش دايمة   وقيامـة على العالـم قايمة

أو يرفعون السماعات لتسمع صوت «الرولنج ستونز» الصاخب يغني:

لا أريد رؤية ألوان
أريد كل شيء أسود

انطلق الدعاة في كل مكان يذكرون الناس بالنهاية ويدعونهم للتوبة، وكنت تسمع أصوات القرآن تُتلى في كل مكان بينما تدوي أجراس الكنائس. كأنها مراسم جنازة الأرض التي عرفناها. العالم صار سرادقًا كبيرًا ينتظر فيه المعزون. والغريب أن هذا دفع بعض الناس لأقصى درجات التدين، بينما دفع آخرين لأعتى درجات الفجور. ليلة الشنق يطلب البعض وجبات دسمة، ويفضل البعض الزهد فلا يتبلغون بشيء.

في كل يوم كان هناك من يفضل ألا ينتظر الكارثة، ويفجر رأسه بمسدسه أو يثب من فوق بناية شامخة أو يبتلع السم.. الموت الذي تختاره أنت قد يكون أقل وطأة.

ومن جديد تكرر ذات السيناريو الذي عرفناه على أرضنا كلما تنبأ أحد بدنو نهاية العالم.. باع كثير من أصحاب الأملاك ما يملكون بثمن بخس، وهي مخاطرة دفع الكثيرون ثمنها غاليًا فيما سبق عندما مر الموعد ولم ينتهِ العالم، من ثم أمضوا باقي حياتهم في التسول.. لكننا نعرف أنهم محقون هذه المرة.

في عالمنا حدث شيء مماثل عندما جاء العام الميلادي ١٠٠٠ الذي تنبأ الكثيرون بأنه النهاية. احتشد الناس في كاتدرائية كبرى بالفاتيكان يبكون بانتظار ساعة انتصاف الليل، وعندما جاء الوقت المرهوب توقفت الساعة العملاقة المعلقة هناك (لأسباب مجهولة)، ومن ثم سقط كثيرون موتى بعد أن توقف قلبهم رعبًا!

كانت هناك عادة جديدة هي مجالس الصلح.

في كل حي كنت تجد «سرادق» منصوبًا يجلس فيه الكبار، ويذهب له المتخاصمون:

ـ سامحني.. فقد نمت مع امرأتك.

ـ سامحني.. فقد سرقت إيجار أرضك.

ـ سامحني.. فقد أسأت لسمعتك.

ـ سامحني.. فقد فقأت عينيك في لحظة جنون.

ـ سامحني.. فقد حاربتك في لقمة عيشك.

ـ سامحني.. فقد دمرت حياتك.

ـ سامحني لأنني أنا.

يتبادل الأشخاص الصفح. لقد ماتت رغبة الانتقام ولم يعد أحد مهتمًّا بالقصاص. وفي الصعيد كثرت المجالس العرفية ومراسم تقديم الكفن. الكل يريد أن يصفح عن الكل، فلم يعد ثمة وقت للأحقاد.

العالم كله يتناول وجبة السجن الأخيرة.

العالم كله يدخن لفافة التبغ الأخيرة ويتمنى شيئًا..

العالم كله يقف على طبلية الإعدام ينتظر اللحظة الأخيرة..

وفي العالم الغربي عادت أغانٍ قديمة شبه منسية، مثل أغنية «ذا دورز» التي تقول:

هذه هي النهاية
يا صديقتي الجميلة
هذه هي النهاية
يا صديقتي الوحيدة
نهاية خططنا المحكمة
نهاية كل شيء قائم
النهاية
لا أماني ولا مفاجآت
لن أرى عينيك مرة أخرى أبدًا
هل تتخيلين ما سيكون
بلا مدى ولا قيود؟

نبحث في لهفة عن يد غريب تساعدنا
في أرض يائسة

* * *

في ثبات وثقة تحركت أنامل رامي على أرقام الهاتف. صوت الأدعية التي وضعها الجميع على هواتفهم يتردد. ثم جاء صوت فاتن يتساءل عما يريد.

قال بنفس الثبات:

ـ فاتن.. أنا سأقابل أباك الليلة.

ـ هل تمزح؟

في برود قال:

ـ عامة عندما لا أمزح يفترض الناس أنني أمزح، لأنني أبدو وقتها جادًّا جدًّا.. جادًّا أكثر من اللازم.

بدا واضحًا أنها ليست وحيدة أثناء إجراء المكالمة.. قالت له في رعب وقد تلفتت حولها وخفضت صوتها:

ـ سوف يهينك أيما إهانة.. لسوف تلملم أشلاء كرامتك وأنت تفتش عن الباب لتهرب.

قال بصوت مبحوح:

ـ لا أعتقد.. الأيام صارت شحيحة.. الحياة صارت شحيحة.. لم تعد ثمة طموحات، ولعله سيرغب في أن تذوق ابنته لذة

الجنس والبيت والأمومة بسرعة قبل أن تفقد أي قدرة على التذوق.

في تلك الحقبة تزوج عشاق كثيرون لأن أهلهم أرادوا أن يقابلوا النهاية معًا. عندما تكون الصحراء القاحلة هي الخطوة التالية فأنت تبتاع كوب عصير من أول محل يقابلك.. لا مجال لانتقاء المحل الأنظف أو الأفخم أو صاحب الضمير اليقظ.

وبالفعل عندما ذهب لدارها ليلًا رأى ما توقعه.

نفس بيوت الطبقة الوسطى ونفس قطع الأثاث الكئيبة التي صنعها نجار الشارع منذ عشرين عامًا، ونفس الستائر المميزة والأنتريه إياه والصالون الذي يتظاهر بالفخامة مع صورة «روميو وجولييت» والبطة في النيل. هكذا شعر باطمئنان. هذا بيت مثل بيته.. نشأة مثل نشأته. قطع الجاتوه الرديئة وأطباق لا شك أنها مقترضة من الجيران. كان في البداية يتوقع عالمًا آخر صالحًا لتنبت فيه هذه الزهرة النادرة، لكن تبين أنها تنبت في ذات التربة التي تنتج البطاطس والبرسيم والفول.

أبوه المسن يجلس مع أبيها وعمها المسنين. أمه المسنة تجلس مع أمها المسنة. علاء المراهق يثرثر عن الفتيات مع أخيها المراهق. عزة في الركن ترمق كل هذا في اشمئزاز، شاعرة بالحقد على الحفل الجنسي القادم. علياء جالسة مع.. مع.. لا.. هي لم تأتِ بدعوى أن هناك فروضًا مدرسية. بالطبع لم تكن هناك مدارس أصلًا وقد توقفت العملية التعليمية منذ شهرين.

علياء كانت تحاول الاتصال بحسني هاتفيًّا.

علياء قالت لحسني إن عليه أن يتزوجها فورًا، فالعالم يقترب من النهاية. فقط الحمقى يبقون على ترددهم في اللحظات الأخيرة.

حسني قال لها إنه من المستحيل أن يوافق أبواها على طالب ثانوي، قالت علياء لحسني إن الأهل في كل مكان صاروا يقبلون أي شيء.. لم يعد ثمة مجال للتعالي وفرض الشروط.. أخوها رامي مفلس تمامًا لكنه يطلب يد زميلته في الدفعة، وعلى الأرجح سوف يقبلونه.

ـ هذا لو كنت تريد.. طبعًا لو كنت تريد... أستشعر في صوتك أنك ـ ربما ـ لا تريد...

حسني متردد.. حسني يفكر..

ثم اقترح عليها اقتراحًا لا بأس به فوافقت.

هذه تفاصيل لا تعنينا، ومن الوقاحة أن نقضي معها وقتًا أطول من اللازم. تعالَ معي الآن إلى بيت فاتن، حيث الحشد الحزين يجتمع.

الأب يرحب.

طبعًا لا وقت للخطبة وهذا الكلام الفارغ. لا نملك ترف الانتظار وتعرف العريس على عروسه. هذا سخف. سيكون الزفاف بعد غد.

تبكي أم فاتن. ويهمس العم لأبي رامي:

ـ البائسان! ما كنا لنجرؤ على الرفض.

ـ إنهما متحابان بحق!

ـ لو كنا في ظروف أخرى لركلت ابنكم وطردته.. هل يحسب هذا الأحمق أن ابنتنا بلا ثمن؟ كيف يجسر على أن يحبها وهو لا يملك شروى نقير؟

ـ لو كنا في ظروف أخرى لقلت إن ابنتكم ليست العروس التي أحلم بها لابني.. ومن الجلي أنها لا تستطيع غلي الماء دون أن تحرقه.

ـ لكننا لا نملك الشجاعة الكافية لتحطيم قلبين شابين.

ـ مما يحطم قلبنا نحن أنهما لن يريا أطفالهما أبدًا.

كان الأمر قاسيًا.. في أرضنا كانوا يزوجون الجنود السوفييت الشبان الذاهبين إلى الجبهة للقاء النازيين.. وهذا يعني أن حياة الجندي الشاب الزوجية لن تدوم سوى ليلة واحدة بعدها يرحل إلى الجبهة حيث سيلقى حتفه غالبًا.. أي أن عروسه كانت أرملة مع وقف التنفيذ.. في هذه الأعراس السريعة كان الشاعر السوفيتي «يفتوشنكو» الطفل، يرقص مقابل ثمرة بطاطس يعود بها لأمه!

هكذا وجد رامي نفسه متزوجًا من حبيبة الدراسة... ظروف غريبة كان سيغبط نفسه عليها لو لم يكن محكومًا عليه بالإعدام.. وفي سره تمنى لو أن الكارثة لم تحدث.. عندها سيخرج مظفرًا وقد نال حبيبة قلبه، وليس أهلها بقادرين على الاعتراض.. لن يطلقهما أحد.

لم يُقم عند أهله ولا أهلها.

الشقق في كل مكان. طبعًا أقام في شقة جديدة.. لقد صارت الشقق بسعر علب التبغ بعدما باعها أصحابها بأي ثمن.. البعض تصدق بثمن ما يملكه والبعض راح يلهو به.. ما قيمة المال بعد الآن؟ فقط الذين احتفظوا بأعصابهم قوية ثابتة راحوا يكنزون الذهب والفضة على أمل أن تنجو الأرض، وعندها سيكونون أغنى الأغنياء ولسوف ينقلب السلم الاجتماعي بالكامل.

لم يدعُ رامي دكتور مصطفى بطبيعة الحال. لم يكن حاقدًا عليه لكن ليس من المعتاد أن يدعو المرء من تحرش بفتاته إلى الزفاف. كان هذا سيبدو غريبًا.

على أن دكتور مصطفى كان مشغولًا بأشياء أخرى.

٦

تقف عزة أخت رامي في الشارع ترمق السماء.

إنها النهاية.. تعرف هذا وتوقن به. الحلول السحرية والنجاة على آخر لحظة أمور سينمائية جدًّا، ولن تتحقق. مدت يدها تعبث في خصلات شعرها.. كانت هذه من فترات نزع الحجاب في حياتها، وهي تتكرر كل ثلاثة أشهر.

آلام ظهرها تتزايد، والصداع يغزو رأسها. هذه الحياة أكذوبة كاملة.. نوع من الدعابة، لكن اللحظة القاسية هي عندما تعرف أنك موضوع تلك الدعابة.

تمشي في الشارع وسط المذعورين الراكضين. لقد تركت رامي مع زوجته في شقتهما. ربما لن يجدا الوقت الكافي ليتطارحا الحب. ربما لن يجد الوقت الكافي ليلمسها.

اللعنة على كل شيء. لقد عاشت بما يكفي وذاقت ما يكفي من

ألم وحرمان، فلا مشكلة في أن ترحل الآن. السعداء فقط يخشون الموت، أما هي فلا. المحظوظون فقط يخشون القبر، أما هي فلا.

هلم يا حكم الإعدام.. عجِّل.. ولتكن خطواتك رشيقة قدر الإمكان. في الماضي في إنجلترا كانوا يدفعون البقشيش للجلاد كي يقطع الرأس بضربة واحدة. ليتني أعرف كيف أدفع لك البقشيش أيها النيزك. فلتُعدَّ منجلك.. فلتتأهب.

كانت تمشي في ثبات.. تشق الزحام.

نحو المدرسة.. المدرسة الخالية التي هجرها الجميع. صارت قفرًا وصار بوسعك أن تدخل أي مكان أو تفتح أي باب أو تسرق أي شيء.. لماذا تسرق؟ ما جدوى ملكية يعقبها الموت؟

المقاعد مقلوبة.. المناضد مقلوبة.. على الأرض عجين من الأوراق والطبشور وبقايا الأحلام.. حتى الفئران بدا أنها تشعر بالخطر القادم.

في المدرسة يجمع عماد أوراقه وكتبه. دمعة متجمدة في عينيه لأنه يعرف أنها المرة الأخيرة على الأرجح. سيموت في بيته.. لكنه لن يترك أوراقه كي يراها من ينجو. كي توضع في متحف ما في المستقبل ليرى الناس ما كان القدماء يفكرون فيه، كما نشق نحن اليوم بطن الماموث لنعرف ما كان يأكله منذ ملايين السنين.

شعر بوجود شبح فاستدار.. كانت عزة هناك على باب الفصل، وفي عينيها تصميم غريب.

كان قد طلب يدها منذ أعوام، لكنها رفضت لأنه بدا لها قبيحًا أكثر من اللازم.. فقيرًا أكثر من اللازم.. ضعيفًا أكثر من اللازم.. الأحمق يعتقد أن من حقه الظفر بها.. هذه إهانة. لم تكن من النسوة القويات اللاتي يستغنين عن الرجل لشعورهن بالاكتمال من دونه. هي فقط ظلت تنتظر الرجل المثالي، كلي القدرات، طويلًا، وعندما قابلته كان يبحث عن امرأة مثالية كلية القدرات.. هكذا مضى كل في طريق كأنهما قطاران متوازيان. اليوم هي بحاجة إلى رجل.. رجل خشن الصوت له رائحة عرق كريهة مع رائحة التبغ وذقن نصف نامٍ، يموت معها.

قال عماد في دهشة:

ـ ماذا أتى بكِ؟

لم ترد.. فقط سألته في ثبات:

ـ هل تتزوجني؟ أنت تحبني أليس كذلك؟

جمع المزيد من الأوراق بيد راجفة وقال:

ـ للأسف لم يعد ثمة وقت كافٍ لهذا.. لقد انتهت المسرحية كلها.. نحن نجمع الأقنعة لنحرقها ونكنس خشبة المسرح.. العرض القادم سيكون شائقًا لكننا لن نمثل فيه.

ـ أنت كنت تحبني.

ـ لم أحبك قط.

ـ أنت كنت تريدني.

ـ لم أردكِ قط.

ـ إذن؟

ـ حلمت بالبيت والأسرة وكنت أنت هناك.. هذا كل شيء.

جلست على مقعد هناك، وابتلعت مشاعر الإهانة التي لها طعم العلقم، ثم سعلت من رائحة الغبار وقالت:

ـ ليكن.. أنا أمنحك الآن فرصة أخيرة للزواج. سنخرج من هنا إلى أقرب مأذ...

ـ لا.

خرجت من فمه كسدادة تطير لتسد فمها، ثم وضع الرزمة تحت إبطه واتجه للباب:

ـ لقد قتلتِ رغبتي في البيت، وحتى رغبة أي رجل في أي امرأة.. لقد زهدتك بعد ما قضيت ليالي كثيرة أحاول فيها أن أنتصر على مرارة الهزيمة. لقد تعلمت ألا أحقد عليك، ويعلم الله أنني جاهدت لأفعل هذا. سأموت وحيدًا.

ـ أنا لا أريد أن أموت وحيدة.

وبدأت شفتها السفلى ترتجف، ثم سالت دمعتان ساختنان على خديها. تبدو قبيحة جدًّا عندما تبكي. لاحظ هذا الآن فقط.

- هذه مشكلتك.

قالها وهو يواصل الرحيل.

- إذن.. انصرف!

صرخت في هستيريا وقد تحولت لوحش مسعور فجأة.. وحش جُرح في كرامته بشراسة.. وحش يدمي غروره.. وحش يوقن أن فرصته في ألا يموت وحيدًا قد انتهت. كان ذعرها يفوق احتياجها الجنسي. أطلقت سبة بذيئة وعددًا من «يا ابن الكلب»، ثم نزعت صندلها وقذفته بإحكام على عماد، فأصاب كتفه. لكنه لم يلتفت للخلف. وسمعت صوت خطواته.

للحظات ظلت ترمق قدمها الوحيدة العارية بأصابعها الطويلة مهشمة الأظفار ثم راحت تبكي بحرارة.. تبكي.

بعد لحظات سمعت صوت خطوات متباطئة وسعالًا. شمت رائحة التبغ.. وبعد لحظات أخرى ظهر عند المدخل شكل تعرفه جيدًا. عبد الخالق عامل المدرسة.. الرجل الريفي الأسمر الذي جففه الجبن المالح والفجل والبلهارسيا والفلاحة في الشمس، لكنه ظل قادرًا على الوقوف على قدميه. يزعم أنه كان يعمل في الجامعة منذ عام، ثم تم فصله لأن أستاذًا اضطهده بلا سبب. من يدري؟

كان يحمل أشياء ينوي أن يرجع بها لداره.. بقايا المدرسة التي تتفكك.. لا يعرف ما عساه يفعل بها أو متى يفعل، لكنه يأخذها على

كل حال. كان في الأربعين من عمره. وكان متزوجًا ولديه ولدان. هكذا قال لها يومًا وهو يجلب دفتر الغياب للصف.

عندما دخل الغرفة ورآها أجفل للحظة، ثم توقف. وتبادلا النظرات لعدة دقائق.

في ممر الفئران

وصول الشرقاوي

١

الظلام في كل صوب.. ظلام متجانس مخملي يمكنك أن تلمسه وتتحسسه لكن لا تقدر أن تمزقه. ظلام بلا بداية ولا نهاية. قال الرب: «فليكن نور»، لكنك جئت العالم قبل تلك اللحظة المقدسة.

الظلام في كل صوب.. ظلام كغاز سام يتسرب عبر فتحات الأنف إلى روحك.. روحك تظلم.. تنطفئ.

الظلام في كل صوب.. ظلام العجز والخوف والوهن.. أنت واهن هش كما كان جدك قبل أن يعرف النار. اللحظة التي تصير فيها مباحًا للوحوش والضباع.

الظلام في كل صوب.. وأنت لا تصدق أن هذا حقيقي.

تمد يدك محاولًا أن تلمس أي شيء.. تصطدم بشيء. تسمع ارتطامًا.. صرخة.. عبارة سباب.. تطبق أسنان أسد على كفك. تريد أن يحدث شيء.

لا شيء.

ظلام في ظلام.

الفراغ.

وفي أعماقك تشعر بالذعر. لم يُخلق ظلام كهذا من قبل. أنت لست في عالم مظلم.. أنت مكفوف البصر. بالتأكيد أنت كذلك.

لكن متى؟ وكيف؟

الشرقاوي يمد يديه كأنه يرقص رقصة مجنونة سكرى.

أنا في ممر الفئران.

لا بد أنه محاط بالناس المشفقين أو الساخرين أو المتهكمين أو المندهشين. لا بد أن دائرة منهم تحيط به كأنهم يشاهدون فقرة في السيرك. هل بدأوا بالتهام الفيشار أو ربما تدخين الحشيش بعد؟

القرص المنوم اللعين.

بالتأكيد هو.. ثمة آثار جانبية لا تنتهي لتلك الأدوية: الدوار، فقدان التركيز، الغثيان، سوء الهضم، طفح جلدي، «لم نجرِ دراسات كافية على الحمل والرضاعة»، الاكتئاب، الإسهال، وهن العضلات...

والعمى!

هل كان العمى مذكورًا ضمن الأعراض الجانبية؟ ولماذا يعميك العقار الآن وأنت من مريديه المخلصين منذ عام؟

هذه اليد المفرودة.. ثمة يد.. يد تتحسس.

لم تكن لمسة واثقة مطمئنة كالتي تراها في لوحة «ميكيلانجلو» على سقف «سيستينا». لا. كانت لمسة وجلة ضلت طريقها بدورها.

خطر للشرقاوي خاطر رهيب. هذا شخص آخر لا يرى. شخص آخر يجثم الظلام على أنفاسه. لمسة تطلب الاطمئنان. يتحسس طريقه بالضبط مثل الشرقاوي. معنى ذلك أن هذا بلد من العميان. أنت أعمى وهم مثلك. «وادي عميان» «هـ. ج. ويلز». هل أصبنا بالعدوى ذاتها جميعًا وفي آن واحد؟

نحن عميان لأن طيور الكروان أكلت عيوننا. قصة قديمة لـ«ماركيث»، لكن ذكراها تلاشت. لا يعرف ما حدث بعدها.

صاح في رعب كمن يسقط في بئر عميقة:

ـ الخلاص! الغوث!

لحظات ثم أطبقت يد صارمة على معصمه.. وسمع من يقول في الظلام:

ـ ألا تحسن السمع؟

لم يجد ما يقول فأصدر غمغمة في الظلام.

ـ ماذا تريد؟

ـ أريد الذهاب إلى مكان ما.

ـ أي مكان؟

ـ الأماكن كلها تتساوى.. فقط أخرجني من هنا.

شعر الشرقاوي بتلك اليد الحازمة تطبق على ساعده أكثر. وشعر بأن هناك من يجذبه جذبًا. لسبب ما بدأت حاسة الشم تزدهر عنده. وصار السمع مرهفًا.

هناك رائحة الأنفاس والعرق.. عرق الإبط بلمسته الهرمونية المميزة. عطور رخيصة. رطوبة. صوت الخطوات يشي بممر طويل. درجات متهشمة. ممر آخر. الرائحة «الحكومية» التي هي مزيج من الأثاث القديم والعرق والبنايات الخربة وأكوام الملفات والفئران ورائحة دورة مياه لم يتم إصلاحها منذ قرون.

ثم رائحة الهواء الطلق.

إذن هو في الخارج لكن الظلام ما زال دامسًا يطبق على روحه. وقد أطلق من يمسكه سراح معصمه. تخلت عنه القبضة الحازمة القوية فشعر بأنه بالون مليء بالهيليوم انقطع حبله. «أنا مذعور».

مد يده فشعر بجدار خشن رطب. راح يمرر أنامله عليه وهو يتقدم.

أن تنتقل من عالم الحلم لهذا العالم فجأة وبلا سابق إنذار، لهو لعبة غير عادلة.. ثمة نوع من القسوة في هذا كله. سوف ينهض ويصرخ. بالتأكيد. سيكون غارقًا في العرق وستضمه زوجته لصدرها وتتلو المعوذتين، ثم تطلب منه أن يدخل الحمام ليفرغ مثانته. هذا محتوم.

يسمع أصوات الناس من بعيد.. لكنه لا يسمع أي محركات

ولا أبواق سيارات. حالة من القدسية هبطت على العالم. لعل الناس صاروا متحضرين.. لربما هذا عالم بلا سيارات، أو سياراته خرساء.

ـ الغوث.. ساعدوني!

سمع من يهتف في الظلام:

ـ ما بك؟

ـ أبحث عن طبيب.. عن مستشفى.

ـ ثمة واحد على بعد مائة متر.. يمين في يمين ثم يسار.

طبيب عيون.. لا بد من واحد.

سوف يخبرك بكل شيء ويفحص الشبكية وينبئك بأخبار مبهجة: «هذا عمى هستيري عارض.. لسوف تتحسن في غضون ساعات.. يكفي أن تنام بعض الوقت أو تغمض عينيك، ولسوف يوقظك النور».

أنت بحاجة لمن يقول لك هذا.

اعتاد في طفولته عندما يكتشف خللًا في جسده أن يغفو وينهض ليكتشف أن الخلل قد زال. لا بد أن هذا سيحدث هنا. تماسك ولا تفقد وعيك. هذا كابوس يبدو حقيقيًا جدًا. أنت تعرف هذه الكوابيس التي تبدو حقيقية. لا توجد أحداث درامية عنيفة.. لا وحوش ولا غيلان.. فقط موقف عصيب. لهذا يصير قابلًا للتصديق.

كان يزحف.. عندما سمع الصوت يدوي من بعيد:

ـ إليَّ يا ذوي السقم! إليَّ يا طالبي العون! المستشفى من هنا!

صوت يتردد عبر مكبرات الصوت.

مستشفى ينادون باسمه عبر مكبرات الصوت. يبدو هذا غريبًا. غريب أو معتاد.. المهم أنه يستطيع أن يفتش عن مصدر الصوت وأن يجده.

ـ المستشفى من هنا!

هناك إفريز عالٍ.. من الوارد جدًّا أن تنزل من عليه لتطيرك سيارة مسرعة برغم أنه ما من صوت محرك.

ـ ساعدني كي أقترب من الصوت. ساعدني أيها الغريب.

ـ سمعك ليس على ما يرام.

ـ ما أخشاه هو الموت تحت عجلات سيارة مسرعة. أنا أعمى كخفاش.

ضحك. ما معنى ضحكته تلك؟

يده تجذبك في الظلام.. يقودك.. تهبط درجات وتصعد درجات.

صوت الميكروفون يتعالى. صوت المتكلم جلي واضح. ثمة ظاهرة صوتية لا تذكر تفسيرها، تجعلك تسمع الصوت المنبعث من مكبر الصوت قبل أن تسمع صوت المتكلم المجرد.

في الظلام يصير للصوت ملمس ولون ورائحة. هذا صوت يذكرك بظهر ضفدعة.. زلق فيه بروزات.

ـ استقبال المستشفى في نهاية الممر.

ـ أنا كفيف.. أريد طبيب عيون.

ـ تعني جراحًا.. لا يوجد طبيب عيون.. لا يوجد شيء اسمه «طب العيون».

نهاية الممر الطويل.. تتحسس الجدران وتقترب.

هذا الصوت.. صوت ممرضة ترمقك في استمتاع. صوتها يقول إنها ترمقك في استمتاع، هذا لو كانت تراك أصلًا. تلوك اللادن وتتكلم. صوت يتلوى كأفعى.

تقول لها بصوت مبحوح:

ـ أنا أعمى.

ـ آلام في العين؟ أورام؟

ـ أنا أعمى.. هذا كل شيء.

ـ احتقان؟ حكاك؟

ـ أنا أعمى.. هذا كل شيء.

ـ دموع؟ رجفة جفنين؟

ـ أنا أعمى.. هذا كل شيء.

ومن بعيد تسمع صوت طبيبة ناعمًا كالمخمل يقول كأنها تملي تشخيصها في مكان ما:

ـ كساح.. كساح.. هذه الحالة كذلك كساح.. التهاب رئوي.

ثم جاء صوت الممرضة الأولى:

ـ هنا حالة يا دكتورة مها. يريد من يفحصه.

رائحة عطرية نفاذة.. يد باردة، لكن من الواضح أنها يد أنثى، تتحسس وجهه.. تتسلق ملامحه ببطء حتى وصلت إلى العين.. إنها تضغط.. تغرس أظفارها في كرتي العينين والجفنين.. ثم تضغط بقوة على المحجر بظفر الإبهام.. هذا مؤلم!

ـ هذا مؤلم!

جاء صوت الطبيبة ناعمًا كالمخمل:

ـ اكتئاب الظلام شأن من يأبى التصديق.. هذا عرض معتاد فلا تقلق.

صاح في جنون:

ـ قلت لك إنني أعمى. ومنذ ساعات لم أكن كذلك.

ـ وأنا أقول لك إن هذا معتاد فلا تقلق. اقبل الحقيقة أو ارفضها، فقد انتهى دوري.

وابتعد الصوت. تبتعد هي كذلك...

٢

عودة لأغنية الوحدة

الشرقاوي وحيد في الظلام.

الشرقاوي مذعور.

الشرقاوي لا يجد عونًا ولا يعرف من أين يبدأ الحياة.

يئن.. يصرخ.. يدمي شفتيه كأن هذا قد يعيد له البصر.. يزيح الستار الثقيل الذي أسدل على الكون.

هل هو النهار أم الليل؟

على الأرجح هو الليل لأن لسعة برد تمس أطرافه. يتذكر «بلد العميان»، حيث كان الناس لا يعرفون النهار والليل، بل يطلقون عليهما «ساخن» و«بارد» بالترتيب.

الشرقاوي يشعر بالبرد.

الشرقاوي جائع.

أنا في ممر الفئران.

ثمة رائحة لحم مشوي تأتي من بعيد.. ربما هي كبد محمرة.. أمعاؤه تتقلص مطالبة بحقها في بعض التريض. أنت تناولت العشاء، ولكن من قال إنك نفس الجسد الذي التهم العشاء؟ لو كان هذا حلمًا فالعشاء لم يتسرب معك لعالم الحلم.

الجوع جعل حاسة الشم مرهفة للغاية، وهكذا يمكن القول إنه مشى باتجاه الرائحة كأي ضبع. وبالفعل شعر باللعاب يسيل على ذقنه. هل للضباع ذيل؟ لو كان لها ذيل فهو يبصبص به الآن..

الرائحة تتزايد.. تتزايد...

ما أقواها وما أشدها وما أقساها! حتى من فقدوا نعمة الشم قادرون على تبين هذه الرائحة. هبات الهواء في وجهه ومعها الدخان الشهي. هذه طريقة «الكبابجية» في إذكاء الفحم وجذب الزبائن، لكنهم يبالغون هنا. كأنهم يتوقعون أن الطريقة الوحيدة لجذب الزبائن هي الرائحة.

«كوح.. كوح!»، تبصق رئتيك مع الدخان.

ـ كم شطيرة؟

الصوت الفظ يأتي من بعيد.

ـ أربعًا.

يقولها واللعاب يصارع الحروف

ـ خمسة جنيهات.

يعرف أن في جيبه بعض أوراق العملة. العملة تعبر إلى الأحلام إذن. ليس سعرًا سيئًا. لا يمكن القول إن هناك انفلات أسعار في هذا البلد.

تحسس جيبه في الظلام. حاسة التقدير الفراغي تجعله يجد ورقة عشرة الجنيهات. يعرفها بالحجم والملمس. يخرجها في حذر ويبحث في الظلام عن يد تتناولها. تتلاقى اليدان وتغيب الورقة، ثم يأتي الصوت الفظ:

ـ مائة جنيه؟ ألا تجد معك بعض الفكة؟

ـ نعم. ليس معي غيرها.

هل كان في جيبه مائة جنيه؟ بالطبع لا. لم يكن قبل أن ينام وعلى الأرجح الآن.

هلم أسرع.. عجل.. الجوع يمزقني والرائحة تثير جنون أحشائي.

شعر في يده بالرجل يدس العملات الورقية.. أوراق طُوي بعضها بالطول وبعضها بالعرض وبعضها مثني على طريقة «أذن الكلب» الشهيرة.

ـ معك خمسة وتسعون جنيهًا.

ثم شعر في يده بلفافة ساخنة واضح أنها دسمة.. ثقل مطمئن يعدك بساعات من الشبع.

جلس ككلب جوار جدار على الأرض وفتح اللفافة. الشطائر بها مزيج غريب من قطع اللحم.. لحم خشن ولحم ناعم.. لحم زلق ولحم قاسٍ.

لا أحد يملك ترف التقزز هنا. «كل واشكر» كما يقولون.

الآن يمكنه ـ وقد ولَّى الجوع ـ أن يفهم. لا يستطيع المرء أن يتعقل وهو جائع. البائع يصنف النقود عن طريق ثني أوراقها. رأى فيلمًا يطوي فيه البطل العملات بهذه الطريقة ليعرفها بمجرد اللمس. هكذا كان يميز المائة دولار من العشرة دولارات، إلخ. نفس الشيء يكرره الرجل هنا. الورقة المفرودة كانت علامة المائة جنيه لدى هؤلاء القوم.

معنى هذا ببساطة أن البائع لا يرى، مثلك بالضبط.

كل شيء يتضح والصورة تتكامل.. هذا عالم من العميان.. لا شك في هذا. لست الكفيف وحدك هنا.

* * *

كان الشرقاوي مهندسًا ذا فكر مرتب وعلى قدر من الذكاء. يمكنه أن يحلل المعطيات برغم الهلع الحيواني الذي أطار صوابه شعاعًا.

لماذا يمشي الناس وهم يمدون أيديهم أمامهم؟

لماذا هم مرهفو السمع؟

لماذا ينادي المستشفى معلنًا عن نفسه؟ لأن أحدًا لا يمكنه معرفة

موضعه من غير صوت، وهذا هو التدبير الوحيد الممكن ليعرف الجميع أين هو.

كيف يمكن فحص العيون في مجتمع من المكفوفين؟ لا مفر من تحسس العين بالأنامل.. بل ما أهمية هذا الفحص أصلًا؟

هل تريد رأيي؟ هو عالم بلا شمس. لهذا كان دور الطبيبة في المستشفى يقتصر على فحص حالات الكساح... لا بد أن كل هؤلاء الأطفال الذين لم يروا الشمس قط قد تحولت عظامهم إلى مكرونة مسلوقة. عالم بلا نور هو عالم غير محتاج إلى طب العيون أصلًا. فقط عندما تصاب العين بالسرطان يغدو الطب ضرورة. لهذا تم ضم أمراض العيون إلى تخصص الجراحة العامة.

بائع الشطائر ليس عنده سبيل ليعرف الناس مكانه إلا الرائحة. لهذا تلك السحابة من الدخان ورائحة الطعام، لأنه يعتمد على المراوح التي تنشر الرائحة. الرائحة الزكية هي بضاعته ومصدر رزقه، فلن يأتيه مَن راق له منظر الطعام.

ولهذا لا توجد سيارات. كيف توجد سيارات أو طائرات في عالم لا يرى؟

الأوراق المالية المطوية التي تتيح تعرفها لكفيف...

هذا عالم من العميان، ولا شك في هذا لكن القواعد تحتم أن تكون أنت مبصرًا وملكًا لهم. تذكر قصة «هـ. ج. ويلز». فكيف صار أنك كفيف مثلهم؟ هل العمى عدوى؟

ليست هناك فيروسات قادرة على ذلك وبهذه السرعة. لقد دخل هذا العالم كفيفًا.

هو عالم لا يرى.. عالم يعتمد على الصوت والرائحة والملمس.. ومن الواضح أن هؤلاء القوم بلغوا مكانة متقدمة فعلًا في هذا الصدد. من الواضح أن الحياة مستمرة بلا مشاكل.

لكن ما زال اللغز قائمًا. الكابوس هو التفسير السهل الشامل. لكن هل هذا كابوس؟

سمع ضوضاء كأن بعض الناس يحتشدون.

سمع صوتًا جهوريًا يقول كلامًا لم يتبينه.

هناك صرخات قريبة من صرخات النشوة.. هناك لهاث يشي بالحماسة.. هناك جو عارم من الترقب اللذيذ. ثم سمع صوت الصرخة.. صرخة طويلة عميقة أليمة متحشرجة قاسية عالية مهزومة متوسلة مذهولة متوجعة...

الصرخة تتردد.. وثمة من يصرخ:

ـ الرحمة! لا.

ثم صوت شيء يحدث صوت «فششششششششش»، كأنه مسمار ملتهب يلقى في دلو ماء. سمع من يقول:

ـ أحسنوا.

ومن يقول:

ـ الموت للخائن.

ومن يقول:

ـ هذه الطريقة هي المفضلة عندي.

ثم يتكرر الصراخ.. بعد لحظات بدا واضحًا أن الرجل لم يعد قادرًا على المزيد. تحشرج ثم كف.. مات على الأرجح بصرف النظر عما يحدث فعلًا. هل هي جريمة قتل؟

على قدر ما استطاع راح يجد الخطوات مبتعدًا شاعرًا بمعدته تتقلص.. قرحته.. قرحته لا تتحمل انفعالات.

أخيرًا ساد الهدوء. وشعر بأنه مرهق للغاية.

فراش...

نوم...

أنت بحاجة لبعض النوم.

ساقاك منهكتان تحتجان، وجفناك يزنان طنًّا. ربما لو ظفرت بفراش صحوت لتجد أن هذا كابوس. اصطدمَت يده بيد عابر سبيل، فطلب منه أن يقوده لفندق أو خان أو أي مكان يمنح المبيت لراغبيه.

ـ من هنا.. فندق صغير لكنه نظيف. سوف تكلفك الليلة خمسين جنيهًا.

لا يعرف كيف تبدو الخمسون جنيهًا في الملمس. سيقدم للموظف ورقة مفرودة كما فعل، ولسوف يعتبرها الأخير مائة جنيه.

يمشي في الاتجاه المطلوب.. يتعثر.. ينهض.. في عالم من المكفوفين، تبدو وعورة الطريق شيئًا محببًا يقودك جيدًا. يمكنك أن تتذكر موضع كل حفرة وكل حجر.

الصوت يدوي من مكان ما:

ـ فندق! فندق!

لا بد أن هذا صوت مسجل.

ممر ومنضدة. يرسم في ذهنه صورة منضدة الاستقبال والموظف الواقف خلفها ولوحة المفاتيح المعلقة. تُرى هل تبدو هذه الأمور كذلك هنا؟ الفنادق تصمم مدخلها كالفنادق. فماذا عن الفنادق التي لم ترَ الفنادق؟ لا بد أنهم رتبوا المكان بطريقة عملية تناسب حاستي اللمس والسمع. لربما هي منضدة صغيرة.. ولربما وضعوا مقعدًا فوقها.. أو أن الموظف يرقد عاريًا فوقها. أي شيء.

الموظف له صوت كاحتكاك الفوم الذي يغلفون به الأجهزة الكهربية.. أو احتكاك جناحي الجرادة الجلديين.

ـ لديَّ غرفة مريحة ورائحتها طيبة.

في عالم كهذا لا يكون للجمال معنى. لا أحد يطلب غرفة تطل على النيل أو بحيرة. لا معنى للجمال البصري. الراحة والرائحة هما الأهم.

في كف الموظف تغيب عشرة جنيهات مفرودة، فيمد يدك ويضع فيها عملة ثنيت إلى نصفين. بالتأكيد هي خمسون جنيهًا.

ـ لكني أريد توقيعك!

ما معنى هذا؟ ماذا يمكن أن يفعل بالتوقيع؟

شعر به الشرقاوي يمسك برأسه.. يلصق بأذنيه شيئًا لزجًا باردًا.. ثم يقول:

ـ شكرًا!

استطاع الشرقاوي بذكائه أن يفهم ما حدث.

إنه قد أخذ طبعة من صوان أذنه على الصلصال.. طريقة لا بأس بها. طبعًا لا لزوم للبصمات هنا، لذا أخذ طبعة مجسمة من أذنه، وبالتالي يمكنه أن يتحسسها متى أراد ليعرف صاحب الصوان.

الظلام.. الغرفة باردة بشدة.. يخمن من صوت الصدى أنها ثلاثة أمتار في أربعة.

يغلق الباب بصعوبة بالغة. لو كان أحدهم متواريًا في الغرفة فقد حبسه معه!

ليكونن نومًا شنيعًا. كيف يكون نوم لا تفيق منه لترى النور؟ ظلام في ظلام.. أن ينام المرء ويصحو فيجد الظلام ما زال مطبقًا على الكون. قرأ في شبابه كتابًا عن علامات الساعة، وكان يحوي رؤى مفزعة، لكن هذا كان أفظعها في رأيه. يستتبع هذا

شروق الشمس من الغرب كعلامة أخيرة لإغلاق أبواب التوبة. ساعته دنت إذن.

تحسس في الظلام حتى وجد الفراش فرقد عليه. الحمد لله أن البرد شديد.. لو أضيف الحر لهذا لاختنق فعلًا.

لو كان هذا كابوسًا فقد دخله وتاه فيه للأبد.. لا يعرف كيف يفيق.

هنا دوى صوت يقول في الظلام:

ـ هذا كل شيء يا سيدي! هل ترغب في بعض التبغ لتمضغه؟

وجف قلبه ووثب مترين في الهواء.. وحينما استعاد روعه صاح:

ـ مَن.. مَن أنت؟

جاء الصوت في الظلام:

ـ أنا خادم الغرف يا سيدي. كنت أنظف دورة المياه الملحقة!

كما توقع فعلًا.. يمكن أن يكون هناك ستة معه في الغرفة وهو لا يدري!

صاح في غلظة:

ـ لا أريد أي شيء. والآن انصرف!

نهض يتلمس طريقه نحو الباب ومد يده يفتح المزلاج.. تيار هواء.. ثقل بشري.. وبعد ثوانٍ شعر بذلك الجسد يعبر الفرجة خارجًا. هذه المرة لم يغلق الباب إلا بعد ما تأكد من أنه لا يوجد آخرون.

من دون بصر أنت هش واهن حتى لو كان من حولك مكفوفين. إنه العري الحقيقي وليس عري فقدان الثياب. لأسباب تتعلق بالهشاشة لم يأكل طه حسين أمام أحد في حياته قط، ولم يغادر أبو العلاء المعري داره.

هؤلاء القوم يمضغون التبغ. بالمناسبة لماذا لم يشم رائحة لفافة تبغ منذ جاء هنا؟

لو ترك لخياله العنان لظن أن هذا العالم لا يعرف النار كما لا يعرف النور. عالم الخواء.

يحتاج إلى أن يطفئ النور الكهربي كطقس ضروري ينهي اليوم. يسدل الستار على مسرح أحداث النهار. هذا هو الحفل الصغير الذي يعلن قدوم مملكة النوم والحلم، لكن من دون كهرباء كيف تقيم هذا الحفل؟

برغم كل شيء لعبت الحملقة في الظلام دورها، وبدأ ذلك الوازع الذي يرغمه على أن يريح جفنيه. لقد بدأت عملية الانتقال إلى عالم الموت الأصغر.

عالم بلا دخان تبغ، لكنهم يمضغون التبغ. هذا غريب نوعًا.. ولكن... ماذا كنت تريد قوله؟ لقد نسيت.

٣

صباح أسود يا شرقاوي.

هكذا يمكن تلخيص الموقف.

تفتح عينيك على ما أغمضتهما عليه.. واللون الأسود الكريه في كل مكان.

كانت «هيلين كيلر»، الكاتبة الأمريكية الصماء البكماء العمياء، تقول ـ بعد ما تعلمت النطق ـ إن أهم الحواس هي السمع. السبب أننا في الظلام نصاب بالهلع لو لم نسمع صوتًا مألوفًا.

ما الدليل على أن هذا نهار؟ لا يوجد أي دليل.. فقط هي الساعة البيولوجية فينا تخبرنا بذلك.. وهي ساعة لا يمكن أن تثق بها على كل حال.

ثم سمع الدوي من الخارج.

دوي قوي وشيء يرتطم بشيء.

تحسس الجدران في جنون.. تحسسها في دائرة كاملة، وفجأة أدرك أنه يلمس باب شرفة. خصاص نافذة. لا بد أنها أقرب إلى طريقة للتهوية ما دام النظر ليس هو الهدف. الحاجة إلى مساحة خالية تراها وتأخذ شهيقًا عميقًا، كأنك تسحب العالم في صدرك. هنا لن يكون الهدف هو إراحتك نفسيًّا بل إرضاء حاجة بيولوجية هي الهواء.

هنا دوى الانفجار من جديد.. شعور كأن الحجارة ترتطم ببعضها في أجواز السماء.. يمكن القول إنه رعد وإن كنت غير واثق.

الهواء البارد يضرب وجهه.. لكنه لا يرى أي شيء آخر.

ثم رآه فجأة وبلا سابق إنذار...

ذلك اللسان الأبيض البراق يشق السماء السوداء.. يتحرك كأنه مخلب عملاق متجه إلى الأرض. وفي هذه المرة رأى القاهرة كما يعرفها. القاهرة تتوهج في ضوء البرق. الضوء الأزرق البارد المعقم يرسم ظلالًا طويلة على كل شيء.. مع ذلك التأثير الستروبوسكوبي عندما يتوهج الضوء لفترة قصيرة، فتبدو الأجسام المتحركة ساكنة. «أنا أرى! أنا أرى!».

هذه هي القاهرة كما عرفها. البنايات.. المآذن.. الشوارع.. كل شيء كما هو.

ومن جديد ساد الظلام.

ثم من جديد عاد الدوي والارتطام.. البرق ثم الرعد كما تعلَّم منذ عرف كيف ينطق الكلمتين. عد المسافة بين البرق والرعد لتعرف إن

كانت العاصفة قادمة أم تبتعد.. لو ازداد العد في كل مرة فالعاصفة تبتعد.

من جديد هوى لسان آخر من ذات الموضع ليضرب ذات البقعة السابقة.

هذا غير معقول! هذا خطأ. البرق لا يضرب ذات المكان مرتين أبدًا. هذه قاعدة أخرى تعلمناها في صغرنا.

لقد تغير العالم كثيرًا جدًّا يا شرقاوي. كنا نرى البرق ونسمع الرعد ونرى قوس قزح في طفولتنا. أعتقد أنك لم ترَ هذه الظواهر منذ ثلاثين عامًا. أعتقد أن الشباب لم يروا هذه الأشياء قط. وماذا عن الهداهد؟ الهداهد الجميلة التي كنت تراها فوق الأشجار في طريقك للمدرسة؟

لم تعد الطبيعة طبيعة كما كانت.

لكن هذا البرق غريب الأطوار. ثمة بقعة من النار تتوهج في آخر بقعة نزل فيها. هذا حريق. البرق الذي ينزل في الموضع ذاته مرتين قادر على أن يحرق.. هذا منطقي.

توهجت النار ثم زالت.

ومن جديد ساد الظلام.

هذا يعني ببساطة أنك لست كفيفًا.. ما من أحد مكفوف في هذا العالم.

يعني أن هذا عالم بلا أضواء. بوابة الكابوس اقتادتك إلى عالم بلا أضواء ثم انغلقت عليك فلن تعود أبدًا.

* * *

يتقلب الشرقاوي.

تدور عيناه في المحجرين خلف الجفنين، ويتوقف جهاز التنفس الموضوع على وجهه عن إصدار صوت رتيب منتظم. الرغوة تتساقط من جانبي فمه.

يتعالى صوت «توت-توت» من المرقاب جوار الفراش، وتقسم الممرضة أنها سمعته يقول شيئًا، فلما أدنت أذنها أدركت أنها واهمة.

ترى أي عوالم يرتادها في غيبوبته؟ ما الذي يراه بالضبط؟

تتنهد ثم تعاود تصفح صفحات رواية الحب الرديئة التي ابتاعتها من على الرصيف. ترسم بالقلم الرصاص خطوطًا تحت عبارات تافهة مثل: «أنت نور حياتي»، «أنت الأمل الذي أحلم به». تعبث بطرف القلم في شعرها وتحلم للحظات بشاب أسمر ذي شارب كث يلثم شفتيها ويضمها بقوة.. فتمصمص بشفتيها، ثم تواصل التصفح.

ينتظم صوت جهاز التنفس.

* * *

صوت منتظم كأنها مضخة آلية: «فشش».. «فوششش».. «فشش فوششش».

من أين يأتي؟

كيف؟ متى فقد هؤلاء النور؟ هل من فجر التاريخ أم أن هذا حدث مؤخرًا؟ هل هم متكيفون على الرؤية بشكل لا تعرفه؟ ربما تبدل شيء في عيونهم وهذا يعني أن ملايين السنين مرت بهم في هذه الحال.. لربما هم قادرون على رؤية الأشعة تحت الحمراء أو فوق البنفسجية أو فوق الحمراء لو كان هناك شيء كهذا.

يتمنى لو يجلس مع شخص ثرثار.. يوجه له أسئلة ويعرف إجاباتها.

لو كانت الحسابات دقيقة فهو يقف في ردهة الفندق. مد يده يفتش في جيبه، هنا اصطدمت يده بالقداحة.. لقد عبر لهذا العالم العجيب بالقداحة. هذا كشف ثمين في عالم الظلام هذا. يريد أن يشعلها. يريد أن يرى اللهب لحظة واحدة.

يريد أن يشم رائحة الدخان.. يريد الدفء المقدس.

يريد اللسعة المحببة.. يريد سماع صوت «شلاك شليك».

يريد أن يرى كيف تبدو الوجوه.

يريد أن يرى الردهة وكيف هي.

يريد أن يدخر مخزونًا من الصور قبل أن يعود للظلام.

يريد أن يتأكد من أنه ليس كفيفًا حقًا.. حقًّا قد رأى ذلك الوهج أو البرق، ولكن من أدراه أنهما ليسا هلاوس بصرية؟ ربما كان وهج

ذلك البرق قويًّا إلى درجة أن المكفوف يراه. قيل إن ضوء بركان «فيزوف» كان من القوة بحيث بلغ شبكية العميان. هل هذيان؟ ربما.. لكن لا بد من لهب.

مد يده إلى القداحة وداعب الترس.. «شلاك شليك»!

في اللحظة التالية توهج الضوء، ومن جديد تكررت الظاهرة الستروبوسكوبية إياها.. كأن كل من رآهم تحولوا إلى تماثيل.

موظف الاستقبال يقف أمامه رجلان.. امرأة تجلس على أريكة وترضع طفلًا وقد أخرجت ثدييها أكثر من اللازم لتبدو شبه عارية.. ثلاثة رجال يشربون الشاي.. الكل ينظر للهب في ذهول.. الكل لا يتحمل الضوء الذي حرق شبكياتهم.

أهم ما لاحظه في هذه الومضة السريعة أن هناك حالة عامة من اضطراب الثياب وعدم الهندمة. الرجال منكوشو الشعر طويلو الذقون واثنان منهم كان سحاب سراويلهم مفتوحًا، والمرأة ترضع الطفل بطريقة خالية من اللياقة في مكان عام. لوبي الفندق قذر جدًّا ولا يمكن أن ترى مثله في لوكاندات «الحسين» التي تتقاضى جنيهين في الليلة.

كل هذا منطقي.. عالم لا يبصر هو عالم لا يهتم البتة بمظهره.. بالأحرى هو عالم يهتم برائحته أكثر.

طبعًا كانت قدرة القداحة على الإضاءة محدودة.. دائرة ضيقة جدًّا من الوجوه.. لا يرى أبعد منها.

الملاحظة الثانية هي أن النور آلمهم فعلًا.

هو نفسه شعر بألم بالغ عندما لامس الضوء شبكيته.. يعرف علماء الفسيولوجيا أن كل مؤثر زائد كالصوت أو الضوء أو الشم يتحول إلى ألم بالغ. اسمع دوي قنبلة، أو انظر في قرص الشمس، أو شم بعض النشادر.. عندها تتحول مشاعرك إلى ألم ساحق.. والألم هو الألم مهما كان مصدره.

ومن جديد ساد الظلام.. وإن ظلت الشمس تتوهج في الشبكية للحظات.

هنا فقط بدأ الجحيم.

سمع من يصرخ:

ـ متمرد!

ـ كافر!

ـ زنديق!

ـ مجدف!

ـ هرطيق!

ـ لقد لوث الظلام!

٤

«تلويث الظلام».

«دنس».

«هرطقة».

هذه اللغة القروسطية أثارت هلعه.

لم يعرف أنه ارتكب كل هذه التهم، لكن يمكنه تخيل العقاب وهو لن يقتصر على السجن. منذ فجر التاريخ ومصير الزنادقة هو قطع الرقبة أو الحرق.. مصير المتمردين لا يختلف كثيرًا ولات حين مناص. لا.. لن يكون هناك حرق ما دامت لا نار هنالك!

في تلك اللمحة القصيرة كان قد قرر موضع الفرار، فاندفع ركضًا نحو الباب. هناك من اعتصره بين ذراعيه كأنه عاشق ولهان.. لقد قبضوا عليه.

كقط مذعور غرس الشرقاوي مخالبه في محجري الرجل، فتخلت قبضته عنه.. ثم ركله في أسفل بطنه بركبته، في اللحظة المناسبة

بالضبط، لأن أحدهم أمسك بساعده بقوة.. كل القوم هنا يمسكون بساعدك بطريقة تذكرك بالكلابات.

لم يكن هناك وقت للتفكير، لذا ضربه أعنف ضربة ممكنة جعلت مخه يرتج حيث سبح في بحيرة سائل النخاع الشوكي. لكن ككل ضربات «الروسية» هذه يتضرر المضروب أكثر من الضارب والسبب مجهول.

ـ أغلقوا الباب قبل أن يفر كذبابة!

ـ أغلقوا الباب قبل أن يتبخر كدخان!

ـ أغلقوا الباب قبل أن يذوب كالملح!

كان الشرقاوي قد مر عبر الفرجة وشم الهواء الطلق. فر كذبابة وتبخر كدخان وذاب كملح.

هنا سمع الباب ينغلق من خلفه! لقد أغلقوه ليحبسوه بالداخل وهذه هي مزية التعامل مع عميان.

مد يده أمامه وراح يتحسس.. ثمة درجات قليلة ثم وجد الأرض الخشنة تحت قدميه.

هل حاسة الشم عندهم قوية؟ في النهاية هم بشر وليسوا كلابًا بوليسية.. ما لم يكن الفص الشمي في مخهم قد صار في حجم قبضة يدك.

من بعيد يسمع الحوار الغاضب:

ـ لقد لوث الظلام!

ـ مارس خطيئة النيران!

ـ فلنُخلِ مسؤوليتنا.. يجب أن نبلغ الكهنة!

كهنة؟ هل نحن نتكلم عن سرقة نار من «الأوليمب»، و«بروميثيوس» الذي سيعلق بين جبلين ليَلتَهم الرخ كبده؟

ـ المسؤولية جد خطيرة.

ـ فلنلقها على كاهل مَن هم أكثر حكمة.

ـ ربما كانت الكلاب قادرة على العثور عليه.. إن رائحته تملأ الغرفة.

ـ معك حق.

كلاب!

هناك كلاب إذن!

رائحته في كل مكان من الفندق. ولسوف تجده الكلاب بلا جهد حتى لو كانت تركض في الظلام.

يجب أن يبتعد قدر الإمكان.. يجب أن يجد مكانًا ينكمش فيه بعض الوقت. يلتقط أنفاسه ويفكر.

رائحة الطعام.. رائحة لحم محمر أو مشوي.. صحيح كيف يحصلون عليه من دون نار؟

دخان طيب الرائحة كالذي شمه أمس.. معدته تتقلص شوقًا وقد أضنتها الذكريات. بالفعل تحول الأمر إلى سحابة كثيفة تحيط به.. صوت أشخاص يروحون ويجيئون في الظلام.

هذا كوكب بلا نور.. أي أنه لا نباتات هنا.. لا بد أنهم يعتمدون على البروتين الحيواني اعتمادًا كاملًا.

ـ وماذا تأكل الحيوانات؟

حقًّا كان هذا سؤالًا غامضًا. من دون نباتات لن تدوم الحياة إلا بضعة أشهر إلى أن يتم التهام الثروة الحيوانية الباقية. بعدها.. لا طعام. ترى هل هذا الكوكب يعيش على التهام لحوم البشر؟

المشكلة هي أن هذا العالم مقضي عليه بالهلاك.. عالم بلا شمس هو عالم منتهٍ.. لكن إلى أي حد؟ هل تأقلم هؤلاء القوم؟ وكيف؟

ثم هل هو عالم بلا شمس فعلًا؟ إذن لكان الجليد يكسو كل شيء.. ولكان المكان أقرب إلى كوكب «بلوتو».. مجرد صحراء جليدية بلا حياة. بينما هو لا يعاني إلا بعض البرد الذي يذكره بالأيام الباردة في شهر طوبة. ليست هذه هي صورة انعدام الشمس كما نعرفها. قد يكون هذا عالمًا بلا نور لكنه بالتأكيد ليس عالمًا بلا شمس.

وما معنى أنه لوث الظلام؟ من الواضح أنهم يعتبرون الظلام كيانًا مقدسًا.. من هم هؤلاء الكهنة؟

الحقيقة أن الألغاز تزداد كثافة. في مكان ما توجد الإجابة، لكن أين؟ وما هي؟

* * *

هكذا يمكننا دون خطأ كبير أن نعتبر أن الشرقاوي قد عبر إلى ممر

الفئران، وغدا غير قادر على التراجع. في طفولته دخل الهرم الأكبر، وزحف على بطنه عبر أنفاق منحدرة مظلمة لمسافات شاسعة، وهو ليس بالمكان البهيج للمصابين برهاب الأماكن المغلقة (كلوستروفوبيا)، لكن أشد ما أرعبه كان عدم قدرته على أن يستدير ويرجع. لا سبيل لذلك. عليك أن تستمر في الزحف إلى أن تموت أو تجد الخلاص.

أين الشرقاوي الأصلي؟ إنه مشتاق له...

قيل إن للسفر سبع فوائد لا يذكر منها واحدة، لكنه يعرف يقينًا أن السفر قد يجعلك تدرك أن حياتك كان لا بأس بها على الإطلاق.. وهو اليوم مشتاق إلى الشرقاوي القديم والبيت والزوجة المملة والحيرة الوجودية. مشتاق إلى القبح والقمامة وانحدار الذوق.. إنها لنعمة أن تكون قادرًا على رؤية القبح والقذارة.

صوت مَن ينادي:

ـ اقرأ الأخبار.. آخر تصريحات القومندان.. إعدام خمسة من النورانيين!

هذه الطريقة المميزة هي طريقة باعة الصحف!

كيف يطالب الناس بالقراءة أصلًا؟

«القومندان» و«النورانيون».. ما معنى هذه المصطلحات؟ هناك في عالمنا منظمة المستنيرين المعروفة، «illuminati»، المحببة لهواة نظريات المؤامرة، ويقال إن إبليس شخصيًا يرأسها، بالفعل قرأ كتابًا يتحدث عن هذا كحقيقة.

دنا من مصدر الصوت الذي يتعالى باستمرار كلما اقترب.

يسمع الصوت المميز للأوراق.. تلمس أنامله صحيفة ما.. لكن فيها خشونة غريبة. سميكة جدًّا ومليئة ببروزات تشعرك كأن هذا ظهر تمساح. كان يمقت هذا الشعور ويحس بقشعريرة منه كلما مر به. لكنه استطاع أن يدرك أن هذه صحف كتبت بلغة «برايل».. لغة البروزات والثقوب المخصصة للمكفوفين.

هذا عالم سيجرب فيه مشاعر الأمي.

ربما كان هذا العالم يستخدم طريقة إذاعية أو تكبير الصوت لنقل المعلومات.

اعترف لنفسه: هذا العالم يحمل صبغة قمعية لا شك فيها. الناس غير ودودين على الإطلاق، وثمة لمسة من الرعب والتوجس في كلامهم وصوتهم، ثمة جو من الترقب والخوف.

هل يمكن أن يدنو من أحدهم ليسأله عن القومندان والنورانية؟

ـ أنت...

النداء الحازم من دون سبب. الظلام في كل مكان فمن المستحيل أن يكون الكلام له هو.

سمع صوتًا يتوجع.. كأن هناك من يوجه ضربة مكتومة لواحد آخر. سمع شيئًا يسقط على الأرض.

فجأة سمع عبر طبقات الظلام الكثيفة البائع ـ على الأرجح ـ يقول همسًا:

ـ اسمع.. لو كنت أنت مَن يقتفون أثره فعليك أن تذوب.

ـ لكني لست...

قال البائع:

ـ هلا كففت عن التذاكي؟ إن سيارة الشرطة قادمة.. اسمعها بوضوح!

سيارة شرطة؟

سيارة وسط هذا الظلام؟ كيف؟

لربما كانت الشرطة قادرة على تبين طريقها.. قادرة على الرؤية.. هذا يجعل المطارَدين معدومي الحيلة تمامًا.. لا بد أنهم يستعملون الأشعة تحت الحمراء أو شيئًا من هذا القبيل، ولربما هو التصوير الحراري.. وبالتالي يتمكنون من القيادة في شوارع المدينة.

الفرار.. الفرار.

قال البائع بذات الهمس المسحوق:

ـ الكلاب قادمة كذلك! لو كنت مكانك لبدلت بثيابي ثيابًا قديمة كريهة الرائحة!

ومن أين هذه الـ...؟

ـ كهذه!

قالها البائع وهو يضع في يده شيئًا خشنًا. الرائحة الكريهة تتكلم عن نفسها. لا بد أن لونها قد حال من القذارة حتى إن النسيج فقد ليونته. هذا الرجل خدوم جدًّا لدرجة أن لديه ثيابًا قذرة للهاربين. من الصعب أن تلقى من يقدم لك خدمات في هذا العالم. الجميع خشن فظ أو ـ على الأقل ـ بارد لامبالٍ.

يتعالى صوت السرينة. بالفعل هناك سيارة شرطة قادمة.. والسبب الذي جعل البائع يسمعها ولم يسمعها الشرقاوي هو أن حواس هؤلاء القوم صارت مرهفة مشحوذة كالسكين. هاتان أذنا قط.

نباح الكلاب.

سوف يستغرقون دقائق إلى أن يصلوا إلى الفندق فتصعد الكلاب إلى الغرفة لتنهل من رائحته ثم تنطلق في الشوارع.

تجرد من ثيابه في الشارع.. تجرد حتى صار كما ولدته أمه.

في عالم لا يرى أي شيء يمكن للمرء أن يتجرد وهو في أمان كأنه في غرفة موصدة.. الثياب التي استبدلها لا تهدف لستر الجسد بل لستر الرائحة!

لا بد أن صاحب هذه الثياب السابق كان يعمل في المجاري.. لكن الأمان أهم من النظافة حاليًّا.. يصعب العثور عليه لو كانت هذه الكلاب مدربة على البحث عن أخبث رائحة في الكون.

لم تنتظر الحشرات طويلًا حتى تخرج لتستكشف الجسد الدافئ النظيف الذي لامس الثياب. الشمس ليست في هذا العالم لتلعب دور المطهر.

هناك لدغات بين فخذيه وأسفل بطنه.. هناك شيء راح يركض متسلقًا عنقه.

المهم الآن أن يركض.. إلى أين؟ لا يعرف. ابتعد وهذا كل شيء. من السهل أن تكون وجهتك محددة جدًّا: أي مكان آخر.

التهمة هي إشعال قداحة.

هي الهرطقة.

هي تدنيس الظلام.

تهمة عجيبة لكن قل هذا لأولئك المتعصبين المخابيل. قله لكلاب الشرطة وسياراتها. قله للقومندان الذي لا تعرف مَن هو بل ما هو.

هنا سمع بائع الصحف الشهم يصيح:

ـ لحظة.. نسيت شيئًا مهمًّا.

«طش ش ش»!

وشعر الشرقاوي بالماء يسيل ليغرق ثيابه ويسيل على قفاه.. يتساقط من أنفه وحاجبيه. شهق.. إن الجو بارد بما يكفي.

ثم فهم.. ما دام رجال الشرطة يستعملون المجسات الحرارية للرؤية فمن المفيد أن تكون باردًا كالموتى.

قال للرجل همسًا:

ـ ألف شكر.. أنت رجل شهم.

قال الرجل في الظلام السحيق الكثيف:

ـ حاول أن تبقى حيًّا بعض الوقت.

المشكلة هي أنك لا تعرف كم واحدًا يحيط بك حقًّا؟ ربما كان هناك عشرة من حولنا في هذه اللحظة.

هكذا انطلق يركض.. يركض والسلام.. يصطدم بأشياء وجدران وأشخاص.. يتعثر وينهض.. ويأمل أن يكون متقدمًا في خط واحد ولا يصنع دوائر بلهاء.

سمع من بعيد صوت كلاب تنبح... لقد صدقت النبوءات حرفيًّا.

كلاب عمياء طبعًا، لكن منذ متى تحتاج الكلاب إلى رؤية واضحة؟

٥

في الشوارع يركض لاهثًا.. في الشوارع يركض متمنيًا لو أن هذه شوارع فعلًا.

تلويث الظلام.

تهمتك التي يبدو أن الموت جزاؤها.

لكنك تشم رائحة الطعام في المطاعم، وتسمع النداء عبر مكبرات الصوت يدل الناس على مواضع المستشفيات والهيئات الحكومية. جو غريب فعلًا.

ـ هيئة التأمين! هيئة التأمين! المعاشات! المعاشات! حجز تذاكر! فندق.. فندق!

ثم سمع صوتًا يصيح من بعيد:

ـ المتحف المصري! تعالوا لتتحسسوا كنوز الفراعنة!

حتى هذا يتم تحسسه!

لكن هذا يدل على إحداثيات مألوفة.

معنى هذا أنه في ميدان تحرير قاهرة هذا الكوكب.. للمرة الأولى يتبين السبيل.

فلتعبر الشارع يا صاحبي بلا وجل.. لا توجد سيارات. ميدان التحرير حديقة شاسعة المساحة. لمَ لا يتوارى في المتحف المصري؟ لن يفكروا في وجوده هناك، وعلى الأرجح لن يسمحوا للكلاب بالدخول.

اقترب من الصوت أكثر وشعر بأنه يمشي في ممر طويل.. ليس وحده...

هناك من يمرر أجهزة كشف معادن على جسده.

ثم سمع صوتًا يتأفف:

ـ ما هذا؟ ألا تستحم؟

صحيح.. يبدو الأمر غريبًا بعض الشيء أن يهتم شخص لا يلبس إلا هذه الأسمال المتسخة بزيارة المتحف المصري، لكنه تجاهل ما قاله.

ـ تذكرة.

دفع ثمنها حسب القواعد الجديدة. لا بد أنه أنفق ثلاثة جنيهات كانت لها قوة شراء تعادل ٣٠٠ جنيه. يتقاضى الباقي بأوراق مطوية بأشكال مختلفة، ولعلها بدورها مغشوشة. لا بأس. تغش الآخرين وهم يغشونك. الكل يغش الكل. يبدو هذا تصويرًا مبسطًا للحياة ذاتها.

كذا تبقى الثروة موزعة بنسب ثابتة. في الغرب القديم كان الفارس

يترك حصانه في الحانة ويختار حصانًا أكثر لياقة، وكان هناك من يأخذ حصانه.. هكذا يبقى توازن الخيول ثابتًا.

الآن يجتاز مدخل المتحف المصري. للمرة الأولى يجتازه من دون ضوء.

صوت مرشدة حسناء. كيف عرف أنها حسناء؟ لا يوجد تفسير آخر. نفس ما أوقع طه حسين في غرام مي، برغم أن الصوت يخدع كثيرًا. لكن «الأذن تعشق قبل العين أحيانًا».

صوت المرشدة الحسناء فيه نعومة أفعى تتسلل بين الأعشاب وهي تقول:

ـ لو مددتم أيديكم إلى اليمين لشعرتم بملامح تمثال أمنوفيس الرابع.. الوجه الطويل الحزين.. هذه هي الملامح التي تمثل فترة العمارنة.. إن الاسم الذي نعرفه لهذا الفرعون هو.. أخناتون.

هذه التماثيل كانت معروضة بعيدًا عن أعين المشاهدين.. لكنها الآن قد وضعت على الأرض لتكون متاحة لمن يريد أن يتحسسها.

مد يده يتحسس ما تصفه تلك المرشدة فاصطدم بكتف أنثى تهتف:

ـ «إنتشولدجن زي»...

سائحة ألمانية كما هو واضح.. جاءت من بلدها لا لترى آثار مصر لكن لتتحسسها.. ولكن كيف جاءت؟ هل هناك طائرات؟ هل هناك سفن؟ هل جاءت مشيًا وهي تتحسس طريقها؟

إنه بحاجة لحمَّام. لا بد أن الكل مشمئز منه، ولكن أين وكيف؟ وهل يجد الأمان بعد ذلك؟

ـ هنا تجدون تمثالًا يظهر الجسد شبه الأنثوي لهذا الفرعون، حتى اعتقد العلماء أنه مصاب باختلال هرموني ما.

حاول أن ينأى عن هذا الزحام الصوتي.. الصوت يضعف ويضعف.. الخطوات تبتعد.. واضح أن المجموعة تتفرق.

كيف تبدو قاعة العرض هذه؟ كيف وضعوا هذه التماثيل العملاقة الشامخة في متناول اللمس؟ يذكر قاعة العمارنة هذه ويعرف موضع كل تمثال فيها. مهمة معقدة جدًّا أن تضع كل هذه الصخور على الأرض للتحسس.

اللهب! النور الجميل يتوهج في الظلام.. أن ترى.. أن تعرف.

لحظة واحدة فقط.. ربع ثانية.

لا يبدو أن هناك أحدًا عن قرب. لا توجد كاميرات مراقبة، إذ ماذا تعمله كاميرا مراقبة في عالم الظلام؟

القداحة.. الإغراء.

لقد دفع الثمن غاليًا وعلى الأرجح سيدفع أكثر، ولكن إغراء النار قد جعل «برومثيوس» يلاقي العذاب الأبدي.

رفع صوته وصاح:

ـ لو سمحت يا آنسة!

لا رد. فعاد يكرر الأمر:

- لو سمحت يا سيدي!

لا رد.

على الأرجح لو كان أحدهم هنا لرد حاسبًا الكلام موجهًا له.

مد يده إلى القداحة ورفعها عاليًا. بالفعل يتحرق شوقًا لرؤية الضوء.. رفيق الدرب.. صديق الطفولة الذي لم يعد يراه.

«شلاك شليك»! انبثقت الشعلة.. باعثة نشوة لا توصف فيه.. نشوة ربما لم يشعر بها إلا القدامى حينما تمكنوا لأول مرة من اقتناص هذه الزهرة الحارقة المراوغة.

لكن ما رآه كان غريبًا...

* * *

لا يوجد شيء.

لا تماثيل.

الأمر لا يزيد على كتل تم صبها بالإسمنت وتم طلاؤها بمادة براقة ما.. لقد تم الصب بعناية لتعطي ذات الانطباع.. هناك تجاويف وحفر حيث كان هناك وجه.. هناك التفاف حيث قيل إنه جسد أخناتون ذو الطابع الأنثوي. هناك ما يشبه النقوش.

لقد كانت خدعة كبرى.. وهذه السائحة الألمانية جاءت من بلادها كي تتحسس كتلًا إسمنتية!

تذكر قصة العميان الأشهر، عن العميان الذين تحسسوا فيلًا فقال أحدهم إن الفيل يشبه المروحة، وقال آخر إن الفيل خرطوم لين، وقال واحد إن الفيل أربعة أعمدة غلاظ.. كل واحد كان يصف ما لمسته يداه.. بينما المبصر يرى كل شيء ويدرك أن كل هذه أجزاء من فيل.

لم تكن هذه تماثيل.. كانت هياكل أعدت ببراعة لتعطي انطباعًا بالتماثيل.

لكن من فعل هذا؟ هل سرقت هذه الآثار؟ هل إدارة المتحف تعرف؟ هل أرادت أن تحمي الآثار الثمينة بهذه الطريقة؟ المهم أن السائح أو الزائر يلمس بأنامله ما وصفته المرشدة.

لم يكن الوقت كافيًا لمزيد من الفهم.

يجب أن يحتجب الضوء من جديد.. لقد جازف أكثر من اللازم ثم إن إبهامه احترق.

لقد استغرق الأمر جزءًا من دقيقة، لكن كان هذا كافيًا.. وقد عرف كذلك أن القاعة خالية كما تمنى.

خالية؟ ليس تمامًا.

كان ذلك الرجل يقف هناك في ركن القاعة جوار المدخل، وقد وضع يده أمام وجهه ليتقي الضوء.

عندما خفض يده أدرك الشرقاوي أنه يضع عوينات غريبة الشكل على رأسه تجعله أقرب لصورة رأس النملة كما تراها بالمجهر

الإلكتروني. ليست عوينات بل هي أقرب إلى عدسات النظارات التي تطل على العالم خارج رأسه على الجانبين.. وهي تتصل بمجموعة معقدة من الأسلاك ومثبتة بخوذة إلى رأسه.. صورة قديمة رآها مرارًا في اللقطات الإخبارية من مواقع الحروب.

جهاز رؤية ليلية.

عندما عاد الظلام كان يفكر.. هل غياب الشمس يسمح بوجود الأشعة تحت الحمراء؟ من أين تستمد هذه العدسات الشعاع الذي ترى به؟

لقد رأى الرجل كل شيء، لا جدال في هذا.

هنا يأتي السؤال الأهم: مَن هو؟

هل كان يراقبه منذ البداية؟

شهق في الظلام خائفًا.

هنا جاء صوت الرجل عاليًا في الظلام يقول بطريقة درامية رديئة، كأنه ممثل غير محترف:

ـ أرى أن المتحف راق لك.. لكن أرى أن ننصرف لتناول الغداء يا كامل.

كاد الشرقاوي يحتج بأن اسمه ليس «كامل»، ثم أدرك أن الرجل لا يكلمه ولكن يكلم أجهزة التنصت الحساسة التي بالتأكيد تملأ المكان.

إنه يرسل رسالة لطرف آخر يصيخ السمع.

ثم دنا من أذنه وهمس من بين أسنانه:

- لا تكن غبيًّا! اتبعني في هدوء!

وفي الظلام شعر بيده تمسك بمعصمه.. فمضى وراءه بلا مقاومة. مشى في رواق طويل والأفكار تصطرع في ذهنه.. لو كان هذا فخًّا فقد وقع فيه لا أسهل ولا أروع.

أخيرًا رائحة الهواء البارد.. هو في الخارج فعلًا.

سمعه يهمس:

- أنت في ورطة مخيفة.

- قل شيئًا لا أعرفه من فضلك.

- أنصحك بأن تبقى معي.. لا أمل لك في النجاة غير هذا.

- مَن أنت؟

قال بنبرة عملية:

- هذه قصة تطول. لو أردت اسمًا تناديني به فأنا رامي. فقط يجب أن تنجو أولًا. بعد هذا نتكلم. إنني أراقبك منذ فترة لا بأس بها. فرصتك في النجاة واهية جدًّا لأن الشرطة تملك وسائل رؤية ليلية، بينما أنت أعمى كخفاش.. تصور فرصة كفيف في النجاة بين مبصرين.. فرصة معدومة.. هذا هو وضعك.

- لكن المجسات الحرارية والكلاب...

قال مقاطعًا:

ـ ليس هذا كل شيء.. لاحظ أنني ألبس جهازًا لا يعتمد على هذه التقنيات.. لقد حصلت عليه بالوراثـ... من رجل شرطة اضطررت لضربه. عندما تصير المبصر الوحيد وسط العميان تعرف أشياء مروعة بحق.. وهذه المعرفة باهظة الثمن.. إنها تساوي حياتك نفسها.

الشرقاوي يمشي معه كطفل، وهو يقتاده عبر طرقات لا نهاية لها.

بعد نصف ساعة شعر بأنه في مكان مغلق.

سمع الباب يوصد.. ثم قال الرجل وهو يلهث:

ـ مرحبًا بك في بيت ضوئي من الضوئيين أو النورانيين في تعبير آخر!

ارتطام

١

يتسارع تنفس الشرقاوي. تنقبض أنامله على الملاءة. لحظة أمل تمر بزوجته وهي ترمق حركة أنامله. سيعود لعالمنا لينفق عليها. لكن التنفس يعود لانتظامه.

الممرضة تترك القصة العاطفية التي تطالعها وتنهض. تتفقد تدفق جهاز المحلول. تتأكد أن القناة الوريدية لم تتورم. تنظر للزوجة في تشفٍّ.

تسألها الزوجة:

ـ كأنه يفيق؟

تقول الممرضة في لامبالاة:

ـ كلهم يفعلون هذا ولا يفيقون أبدًا. كلهم يصابون بالتهابات المثانة وقرحة الفراش فيتعفن ظهرهم وهم أحياء. كلهم يجلبون الجحيم لأسرهم ثم يموتون وينتهي هذا الصخب.

لكن الزوجة لم تسمع حرفًا. كانت ترمق الجثة الحية التي سافرت روحها لبعد آخر. تُخرج زجاجة عطر تمسح بها أنفه ووجهه.

* * *

دكتور مصطفى كان قد بلغ ذروة التشاؤم. ولم يعد يأمل في شيء.

حتى مع رائحة العطر القوية هذه، كان يشعر بعفونة الموقف وغرابته.

خبراته وقراءاته وعلمه الواسع كانت كافية كي يقيِّم الموقف. بعض مراسلات بالبريد الإلكتروني مع عالِم فلك أمريكي في «ناسا» أخبرته أن الخطر حقيقي بالفعل. ليست لعبة أعصاب دعائية ولا يوجد خطأ في الحسابات.

سأل العالِم الأمريكي:

- إذن ننتظر الذبح كالشياه؟

رد عالِم «ناسا»:

- هناك محاولة بطولية أخيرة. المشروع «ماتادور». تنتوي «ناسا» إعداد صاروخ محمل برأس هيدروجيني. وسوف يحاول الصاروخ أن يفتت النيزك في الفضاء الخارجي. أو على الأقل يغير المسار. الأمل واهن لكنه موجود!

بدا هذا وهمًا أقرب للخيال العلمي بالنسبة للدكتور مصطفى. كان يؤمن أن أسوأ السيناريوهات هو الذي سيحدث.. لماذا؟ لأن

الأسوأ يحدث دومًا في كل شيء. هذه من «قوانين مورفي» الشهيرة: لو كان هناك شيء يمكن أن يفشل فلسوف يفشل.. وسوف يفشل بألعن طريقة ممكنة.

لكنه قال لنفسه إن هذا يمنح هؤلاء البؤساء بعض الأمل. سوف يجدون شيئًا يفعلونه غير العواء والبكاء. التماس أخير يقدمه المحكوم عليه بالإعدام قبل الموت.

ما جدوى قصة البشرية؟ ما جدوى الحياة منذ كانت أصلًا، وكل هذا التاريخ والكشوف وآراء الفلاسفة والأديان والاختراعات والفنون والحروب؟ بناء ناطحة سحاب شامخة ثم تتهاوى، وتبدأ الحياة من جديد في إصرار سيزيفي سخيف. هل كان الغرض من الحياة أن نحيا؟ ألا يوجد تراكم من أي نوع؟

لم يكن متدينًا بطبعه، لذا لم يأمل كثيرًا في حياة أخرى سعيدة. النهاية هي النهاية.. سوف يموت عندما يموت على الأرجح. هناك أناس لا يتذوقون الجمال البصري أو الموسيقى. هو كان عاجزًا عن تذوق الدين. هم لا يملكون الحاسة وهو لا يملك الحاسة. هناك أناس يكرسون أنفسهم للفن حتى الموت مثل «جوجان».. وأنت لا تفهمهم. وهناك أناس يموتون من أجل الدين وهو لا يفهمهم. الفارق الوحيد هو أن من لا يفهم الفنون غير مهدد بالجحيم الأبدي. يمكنك أن تكره «موتسارت» أو «رينوار»، فلا تستوجب الرجم.

وقد قرر أن الشيء الوحيد الذي يمكن عمله حاليًّا هو تذوق

تلك الفاكهة المحرمة التي لم يذقها في حياته إلا في ظروف مريبة أو قذرة: المرأة. ارتاد بعض بيوت الهوى لكنه فوجئ بأن جسده لم يعد يستجيب. همومه العقلية اغتالت الحيوان في داخله. انتصر الفيلسوف المتشائم على الوغد الشبق المتعطش للجنس.

جرب مرة أو مرتين وفي كل مرة ينال الكثير من الإهانة. وفي كل مرة يقال له: «ما دمت لا تجيد هذه الأشياء فلماذا تحاول؟» مع كثير من الـ«هيهيهئ» و«يا دلعدي». صفعات لفظية قوية على خديه.

السبب الثاني هو أنه كان يحمل رغبة حارقة لا ترتوي تجاه فاتن.. طالِبته الحسناء التي اعتبرها رمز الأنثى الخالدة المقدسة. كان يفضل الطالبات القبيحات لأنهن يزحن عنه التوتر ويستطيع التركيز معهن وممارسة عمله كأستاذ لا كرجل. لكن حسناء مثل فاتن قد أطارت صوابه فعلًا ولم يشعر براحة قط منذ رآها في الصف. هكذا وجد أنه يطبق قاعدة: «لو لم أحظَ بك فلا أريد سواك». وداعًا فاتن، لو اتضح أنني مخطئ وأن هناك عالمًا آخر، فلسوف آمل أن تكوني بانتظاري هناك.

* * *

الخطوات الأولى من مشروع «ماتادور».

طبعًا «ماتادور» معناها «مصارع الثيران»، ومغزى المصطلح واضح.. كان على المصارع الأمريكي أن يوقف هجمة الثور الفضائي.

العالم كله يراقب الشاشات في لهفة.. الكل يحبس أنفاسه بينما يتصاعد الدخان من قاعدة الصاروخ، ويبدأ العد التنازلي.

عشرة.. تسعة.. ثمانية...

جاءته فاتن في ذلك اليوم قبل النيزك.

كان القسم خاليًا تمامًا، شبه مظلم، وصوت كعبيها على الأرضية يشبه طلقات الرصاص. قطة حسناء تطل برأسها من فرجة الباب وتطلب الإذن بالدخول:

ـ بعد إذنك يا دكتور.

احتبست أنفاسه وسمح لها بالدخول. لماذا أنتِ بالذات؟ لماذا من بين الدفعة كلها؟ هناك ألف فتاة شاحبة تلبس ثيابًا رخيصة ووجهها مليء بالبقع، وتفوح منها رائحة عرق الإبط.. فلماذا أنتِ بالذات؟ لماذا أرسلوا «تاييس» لي؟

راحت تتكلم.

هذا البريق في العينين، هل هو دعاء صامت؟ هل شفتاها تلمعان؟ هل ستنفجران بالرحيق لو ضغطهما؟ لحظة من فضلك. هي جاءت كل هذه المسافة ورأت أن الكلية شبه خالية في هذا اليوم في تلك الساعة.. تدرك أنه وحيد في القسم تقريبًا.. تدرك أنها خلوة.. هل تدركين بحق كل هذا؟ أم هي رسالة صامتة؟ هناك من يقرع الحظ أبوابهم فيشكون من الضوضاء.

ستة.. خمسة.. أربعة...

كان يتكلم وهو يثبت عينيه في عينيها. هذه الضحكة.. هل هو

الدلال؟ يخشى أن يخطئ تَلقي شفرة «مورس» القادمة من بحارها القصية. الخطأ مكلف جدًا.

لكن جسده كان قد تحرر وصارت له إرادته الخاصة. لا يعرف متى غادر المكتب ووقف جوارها يشير إلى هذا السطر وذاك من المذكرة.

ـ هذا الجزء.. سوف أقوم بـ.. بحذفه.

كان يخرف.. يعرف هذا.. يدركه.. كان يلهث.. أذناه تصفران.

اثنان.. واحد.. صفر...

وينطلق الصاروخ «ماتادور».. وتتهاوى المنصة. بينما يخيل للناس أنه يتحرك بسرعة بطيئة. قرأ تفسيرًا فيزيائيًا لهذه الظاهرة قديمًا لكنه نسي.

في «ناسا» يرمق الكل الشاشات، ونفس الشيء يفعله العالم كله.

وللمرة الأولى تعالت في العالم العربي أدعية غريبة مثل: «فلينصر الله أمريكا». لقد كانت هذه من اللحظات القليلة التي تدافع فيها أمريكا عن العالم كله، وإن كانت تدافع عن نفسها أولاً طبعًا.

لشد ما تغدو الحياة أجمل عندما تقترب من النهاية.

لم أذق في حياتي ألذ من آخر كوب الشاي أو بقايا كأس العصير.

الكل ينظر للسماء ويبتهل، بينما الصاروخ الجبار يحلق نحو النيزك.

* * *

أما دكتور مصطفى فقد وجد نفسه ينهال تقبيلًا على وجهها محاولًا الظفر بشفتيها. كان يلهث وهو يردد أشياء لا يتبينها هو نفسه. ربما كان يُسمع أجزاء من المنهج أو يتلو أشعار «طاغور» أو يقرأ نشرة الأخبار، لا يعرف. فقط كان يحاول الظفر بشفتين مراوغتين تفرَّان بلا توقف.

عندها تلقى الإشارة: هي لا تريد. لقد عرف هذا بعد فوات الأوان وصار التراجع مستحيلًا. مقاومتها جعلت المشهد يبدو أقرب للاغتصاب.

ـ لن أؤذيك.. فقط اهدئي قليلًا.

لم تكن من نوع الفتيات اللاتي يصرخن، لأنها تتحكم في نفسها حتى في لحظات كهذه. لكنه أدرك أنه في ورطة مخيفة. لو تركها واعتذر فقد تورط بما يكفي.

فجأة سمع الطرقة على الباب.. وعندما استدار كان رامي يقف في الحجرة بلا تعبير، وفي اللحظة التالية كان عبد الخالق، العامل، على الباب يسأل:

ـ أنا منصرف. هل تريد شيئًا يا دكتور قبل رحيلي؟

كان الشك في عينيه لكن وجود رامي كان أشبه بوجود محرم. وقد أحسن رامي عندما فتح مفكرته كأنه يطلب رأي أستاذه في شيء.

* * *

والصاروخ يقترب من النيزك.

سوف يدمره أو يغير مساره.. وتنجو الأرض.

ستُمنح الأرض أيامًا أخرى من الصراع والحروب والخطايا.

ووقع الارتطام والانفجار فعلًا.. وانتظر الناس أخبارًا طيبة. لكن هذا لم يحدث.

كانت الفتاة قد هربت، وكان دكتور مصطفى يقف الآن مع الشاهد الخطر يتبادلان النظرات. وسرعان ما عرف أن رامي قد أنقذه ولا يريد منه أي شيء. هناك على الأرض اثنان كشفا سره. لكن من الواضح أنهما يفضلان الصمت.

لقد فشل المشروع «ماتادور».

تحمل النيزك الصدمة والانفجار الهيدروجيني المروع، ثم واصل طريقه إلى الأرض.. ذات المسار وذات السرعة.

هكذا أعلنت «ناسا» أن العملية «ماتادور» قد أجهضت. فشل مصارع الثيران في إيقاف الثور الكوني الهائج. وظهر الرئيس الأمريكي على شاشات التلفزيون ليقول إنه «يشعر بقلق». والرئيس الأمريكي عادة، إما أن تتحسن الأمور فيشعر بـ«تفاؤل مشوب بالحذر»، أو تسوء فيشعر بـ«قلق».

كان دكتور مصطفى يعرف هذا وينتظره فلم تصبه دهشة. هل يتوقعون أن تتحسن الأمور؟ الأمور لا تتحسن أبدًا. تاريخ البشرية هو حشد من الحماقة والمصائب. فقط يتطور العلم. وتطور العلم لا يمد يد العون للأخلاق، لكنه يجعل الشر أكثر براعة وتعقيدًا.

قارن بين آثار حرب طروادة وبين القنبلة الهيدروجينية.. قارن العهر في أثينا القديمة بأعياد «ماردي جرا» المعاصرة ونوادي التعري وتجارة البورنو. لقد انحدرت البشرية إلى القاع وحان الوقت كي تُمحى.

٢

دكتور مصطفى جودة، العجيب، قصير القامة، أصلع الرأس يمشي مهمومًا غارقًا في هواجسه الخاصة. يعرف أنه ليس مخطئًا. الكارثة قادمة، لكنه لن ينتحر الآن. سوف يراقب كل شيء حتى تصير الأمور صعبة جدًّا ثم ينتحر.

عام كامل قبل النيزك، مر وهو يتظاهر بأن شيئًا لم يحدث. علاقته كانت عادية مع رامي تمامًا.. أما مع فاتن فقد عاملها كأن لا وجود لها. وإن لاحظ تقارب ضلعين من المثلث العجيب: الشاهد الوحيد والضحية.. هذا غريب. لماذا ينجذب شاب لفتاة رآها أثناء التحرش بها؟

الإجابة المحتملة الأولى هي أنه يبتزها.. يريد نصيبه من المأدبة، لكن هذا التفسير عسير وإلا لابتز دكتور مصطفى أيضًا من أجل درجات أكثر مثلًا.

الإجابة المحتملة الثانية هي أن لحظة ضعفها حركت في نفسه

ميولًا سادية معينة. وجهها الصارخ المتوسل قد ألهب جذوة شهواته.

الإجابة المحتملة الثالثة هي أنه يشفق عليها.

لن يعرف أبدًا. لن يجسر على سؤال رامي عن الحقيقة. فقط فليعش ويفنِ خيط الأيام. وليأمل أن يظهر ضوء صاعق يمسح الذاكرة كالذي رآه في فيلم «رجال في ثياب سود». سوف يُعرِّض رامي وفاتن له فورًا. من الجميل أن يوجد زر يمحو زلاتك. زلاته كثيرة طبعًا لكن الشهود عليها لم يكونوا طلبة له.

كان مشغولًا بموضوع النيزك عندما أتته أخبار الزفاف السريع المثير للشفقة بين فاتن ورامي، وفي الحقيقة تزوج عدد لا بأس به من تلاميذه.

يمكنه فهم هذا. اقتناص لحظة حب أخيرة قبل انتهاء الحياة. كان يتمنى ذلك، لكنه أدرك أن قصته قد انتهت بالفعل.

لقد أخفق الصاروخ في القيام بالمهمة.. هذه آخر ورقة ألقاها المقامر وانتهت اللعبة.

* * *

هذه المرة لم يبكِ أحد.

لقد استسلم الناس لقدرهم في سكون وهدوء.

وخرجت الصحف اليومية تحمل عبارة «العدد الأخير»، وكانت

مجانية، لكنها لم تجد من يقرأها على كل حال.. وكانت مليئة بالصفحات الفارغة والأخطاء. لا أحد يملك المزاج الرائق ليجود عمله.

وعندما لم تبقَ إلا ساعات قبَّل الآباء أطفالهم وسامح الحاقدون أعداءهم، وصارت الزوجات لطيفات في ظروف مجهولة.

فتحت السجون أبوابها لتسمح للمعتقلين بأن يواجهوا الموت أحرارًا، واكتظت دور العبادة.. الذين خرجوا من السجون هرعوا للمساجد والكنائس طالبين توبة أخيرة.

هناك من ابتلعوا الكثير من الأقراص المنومة كي لا يكونوا في وعيهم عندما يحدث الشيء.

دكتور مصطفى نفسه ذهب لمتجر الخمور القريب فوجده مفتوحًا ولا أحد يبيع. انتقى بعض زجاجات لا يعرف اسمها وعاد للبيت. هناك جلس على الأريكة يصب لنفسه بلا براعة خليطًا من كل الأصناف، يفعلها بخرق وعلى طريقة من يشرب عصير قصب وليس خمرًا. ارتفع منسوب الكحول في دمه فراح يضحك ويبكي معًا ثم سقط رأسه على الوسادة وراح يشخر.

كانت فاتن تنشج بلا توقف وترتجف. ضمها رامي له وتمنى لو يحميها.. لو يلعب دور الفارس الذي يذود عنها، لكن كيف يذود عنها نيزكًا؟

ألصق شفتيه بشفتيها بينما العالم يرتج.. سوف يموتان وشفاههما متلاصقة. لربما كان في هذا بعض العزاء.

وفي الساعة الثامنة من مساء الاثنين الحزين وقع الارتطام.

كانت هذه نهاية العالم الذي عرفناه.

* * *

عندما ابتعدت الشفاه أدرك رامي أنه حي.

لعدة ساعات ظل الجميع يتحسسون أجسادهم بحثًا عن إصابات.. لا شيء.

نحن أحياء لا شك في هذا. لربما متنا ولم ندرك ذلك كما يحدث في أفلام الرعب، وهو سيناريو وارد. الموتى الذين لا يدركون أنهم موتى. لكن لو كان الجميع موتى يعتقدون أنهم موتى فلا مشكلة.. هذا مجتمع من نوع آخر!

نظر الجميع إلى السماء.

كان لونها أقرب للاحمرار مع لمسة رمادية معدنية غامضة، وبدا أن أشكال الظلال تغيرت. كأنك تهلوس أو موشك على فقدان الوعي. أما عن الموجات الاستاتيكية فقد تعطلت تمامًا.. المذياع والتلفزيون وشبكة الإنترنت تحولوا إلى قطع بلاستيك.

ثم بدأ الصوت يتعالى من المساجد.. دعاء العيد.. «الله أكبر» كبيرًا.. و«الحمد لله» كثيرًا.

ثم بدأت أجراس الكنائس تدق. وفي أنحاء عدة من العالم انطلقت الألعاب النارية.

خرجوا يرقصون في الشوارع غير مصدقين. وإن هتف البعض محذرين:

ـ لا تتعجلوا.. ربما لم يَزُل الخطر بل هو قادم.

لكن النشوة والتفاؤل كانا أقوى من أي تفسير أو تحذير.

نحن أحياء.. سيكون هناك المزيد من الشموس.. من الأزهار.. من القطط.. من الشفاه.. من الألحان.. من الزحام.. من التدين.. من الذكريات.. من الدموع.. من الجنس.. من الحشيش.. من محشو ورق العنب.. من... من... من الغد.

وسط هذا كان هناك من لطموا خدودهم وبكوا بجنون.. أعتقد أن هناك اثنين أطلقا الرصاص على رأسيهما، والسبب هو أنهما باعا ما يملكان برخص التراب أو تخليا عنه دون ثمن.. لقد فقدا كل شيء وصارت العودة للحياة مستحيلة. أحرقا سفنهما فلم يبقَ سوى الانتحار.

عادت الضغائن لنفوس من تسامحوا.. وعادت الزوجات يتذكرن أنهن متزوجات من أشباه رجال.. وتذكر من تابوا أن هناك الكثير من الآثام التي تنتظر مَن يمارسها.

أفاق هؤلاء الذين تعاطوا الأقراص المنومة حاسبين أنهم ماتوا.. لكن كان كل شيء كما هو.

٣

وكان دكتور مصطفى قد نهض.. وضع رأسه تحت صنبور المياه ليفيق من تأثير الخمر، ثم نزل إلى الشارع برأس مبتل. مشى وسط الزحام.. الصواريخ والموسيقى الصاخبة.

حالة المرح تحولت بعد قليل إلى ضرب من التحرر الفاحش لم يبلغ منتهاه في الدول العربية طبعًا، لكنه في الغرب تحول إلى عيد من أعياد «باخوس» أو احتفال «ماردي جرا» الأمريكي.. الفتيات يركضن عاريات في الشوارع ويمنحن أنفسهن لمن يريد.

مرت الساعات حتى الصباح في سلام واحتفالات.. إن هؤلاء الذين أرادوا أن ينهوا وجودهم على الأرض في اللهو استمروا فيما كانوا يقومون به، والذين لم يريدوا ذلك قرروا الاحتفال بالنجاة.

وقف دكتور مصطفى أمام متجر للأجهزة الكهربية ونظر عبر الزجاج إلى أجهزة التلفزيون المعروضة وقال لنفسه:

ـ لا صورة.. هذا غريب!

كل الأجهزة مفتوحة لكن لا يوجد سوى التشويش الاستاتيكي. أين الإرسال؟

لا يمكن أن يكون النيزك قد هوى على كل محطات البث في الكون.. الأرجح أنه سبب خللًا في الموجات الاستاتيكية كلها.

* * *

احتضن رامي زوجته الشابة الجميلة غير مصدق..

ـ لقد نجونا! وخرجنا مظفرين! تزوجنا وصار لنا بيت ولم نمت!

ـ نحن محظوظان!

لقد اختصر طريق الكفاح المرهق الطويل. لا أحد يحصل على حبيبته في مصر إلا بعد خوض صراع طويل يذكرك برحلة «أوديسيوس». قليل من الشباب في مثل ظروفه مَن أتيحت له الفرصة بهذه البساطة.. خلال ثلاثة أيام وجد نفسه يجلس بالمنامة في داره مع زوجته الحسناء التي كانت زميلته في الدراسة، وغريبة عنه تمامًا منذ ثلاثة أسابيع. هكذا بلا نفقات ولا غربة ولا سفر إلى بلد ثري. لقد انتقلا ليعيشا معًا في بيت واحد بسيط الأثاث بمنتهى السلاسة.

هل جاء هذا النيزك خصيصًا من الفضاء الخارجي كي يجعله سعيدًا؟ يا للكرم الكوني!

لم يكن يعرف كيف يبدأ الحياة.. من أين؟ كيف سيعولها؟

عندما يكون موعد إعدامك غدًا، فأنت لا تضيع وقتًا في التخطيط لما يحدث بعد أسبوع. الآن عليك أن ترتب الأمر جيدًا.

كانت هناك علامات مقلقة كثيرة في تلك الليلة.

السماء ظلت حمراء.

الاتصال اللاسلكي قد انقطع، ولم يعد هناك إرسال في التلفزيون، كما أن أجهزة المحمول لم تكن تعمل.

قال لها رامي وهو يرمق السماء:

ـ لا بأس.. هذه كارثة فيزيائية لا بد أنها غيرت الكثير، لكننا صمدنا. سوف يمر وقت إلى أن تتذكر قوانين الفيزياء كيف كانت تعمل.

همست في قلق:

ـ هل تحسب أن طفلًا يتكون في أحشائي الآن؟

اهتز صدره بضحكة مكتومة:

ـ لا أعتقد.. ولا أحسب الطفل نفسه يعرف.

بنفس القلق قالت:

ـ لو كان هناك واحد فهل يأتي طبيعيًّا؟

نظر لها.. من يضمن؟ هذه التجربة الفيزيائية، هل تنتج إشعاعات ضارة؟ ما يفسد موجات التلفزيون هل هو بقادر على التأثير في جنين؟

أجرى بعض حسابات على أصابعه ثم استبعد أن يكون منحوسًا خصبًا لدرجة أن تحمل منه في أيام معدودات.

من العجيب أن تتزوج وأنت في الفرجة بين عالمين وبعد عهدين.

مرت ساعات الليل الأحمر.

الناس بدأوا يقلقون عندما أشرقت شمس الصباح.

لم تكن هناك شمس في الواقع والجو كان غائمًا كأيام الشتاء. يمكنك أن ترى النور لكنه قادم من خلال الغيوم الكثيفة التي تكاثرت في السماء.

الأمر أشبه بيوم مطير غائم في لندن مثلًا. غير أن الناس في بلدان كثيرة لم يعتادوا هذا المنظر في هذا الوقت من العام.

وفي الحادية عشرة هطلت أمطار كثيفة.. تفاءل الناس لأن هذا يعني أنها ستغسل السماء غسلًا كأنك تغسل زجاج سيارة، لكن بدا أنه ما من شيء قادر على أن يعيد للسماء زرقتها.

السماء صارت رمادية للأبد.

عادت الطائرات القادمة من العالم الغربي حاملة الأخبار.

لقد كانت رحلتها مفزعة مع اتصال لاسلكي متقطع.. وقد تلفت بعض أجهزة الكمبيوتر، لهذا كان من حسن الحظ أنه لم تهوِ سوى ثلاث طائرات فحسب.

وكانت الطائرات العائدة تحكي أشياء مفزعة.

النيزك سقط فعلًا.. لكنه سقط على الأمريكتين. لقد اختار أن يستقر في المحيط الهادي باعتباره المكان الوحيد المناسب له.. كما يضع الطفل قطع اللعب البلاستيكية في الثقوب المناسبة لها حجمًا.

النتيجة هي فيضانات هائلة اجتاحت المحيطين الهادي والأطلنطي.. تغيرات مناخية قاسية.. سحب كثيفة من الغبار تتصاعد إلى عنان السماء لتحجب الشمس.

أوروبا نجت. أفريقيا نجت. آسيا تضررت فقط ناحية السواحل كما هي العادة.

لقد نجونا ونالت أمريكا جزاءها الشعري.. هذا هو كل شيء.

كان الناس يتنفسون الصعداء.

من الواضح أنهم لم يفهموا بعد الأبعاد الحقيقية للكارثة.

بنظرة سريعة عجول مذعورة فهم دكتور مصطفى ما هو قادم.. لقد نجوا من الموت ليتحقق السيناريو الأسوأ.

عصر جديد

١

هنا لا توجد مياه وإنما يوجد صخر فقط..

صخر ولا مياه والطريق الرملي

الطريق المتعرج في الأعالي بين الجبال

وهي جبال من صخر بلا ماء

ولو كانت هناك مياه لتوقفنا وشربنا..

بين الصخور التوقف محال والفكر محال.

والعرق جاف والأقدام تغوص في الرمال..

ليت بين الصخور مياهًا!

ولكن جبل ميت به غار كفم نخر أسنانه السوس..

أسنانه التي لا تستطيع أن تبصق..

هنا لا سبيل إلى وقوف أو رقاد أو جلوس..

حتى الصمت لا وجود له في الجبال..

وإنما فيها رعد مجدب بلا أمطار..

حتى الوحدة لا وجود لها في الجبال..
وإنما فيها وجوه حمر كئيبة تهزأ أو تكشر..
من قصيدة «الأرض الخراب»

من جديد عاد الكلام عن علامات الساعة، فالشمس لم تشرق قط. ومن علامات الساعة أنها تدوم بضعة أيام، ثم تشرق الشمس من الغرب فتغلق كل أبواب التوبة. ودار جدل بين أهل الفقه عما إذا كان هذا تاليًا للضباب أم سابقًا له.. الضباب الذي يتسلل للبيوت ويعمي الناس ما عدا المؤمنين.

المتفائلون قالوا إن السماء سوف تصفو من جديد وتعود الحياة لعالم بلا أمريكا. هذه مشكلة لكنها ليست خطيرة جدًّا لأن الناس سيتعلمون الاعتماد على أوروبا ولسوف تتضخم ألمانيا.. دعك من أن الصين قوة لا يستهان بها.

إسرائيل تحولت إلى قط محاصر شرس ينزوي جوار جدار وقد أدركت أن أيامها معدودة.. من دون ولايات متحدة تجد إسرائيل نفسها عارية تمامًا، لكن أوان دفع الثمن لم يحن بعد.

عالِم مثل دكتور مصطفى كان يرتجف هلعًا.. لقد توقع السيناريو القادم وعرف حرفيًّا ما سيحدث.. إن نهاية الحياة كما نعرفها قادمة، لكن ليس بالشكل الذي تخيله الناس.. سيكون موتًا بطيئًا مريعًا قاسيًا.

* * *

وقف رامي أمام مكتب دكتور مصطفى وقرع الباب.. الباب الذي كان مسرح فضيحة منذ شهور.

كان دكتور مصطفى يجلس بالداخل في الضوء الكابي يقرأ بعض الأوراق. مربع من النور يلتمع على صلعته وقد نزع العوينات ليرى أفضل، فبدا ككائن فضائي عجيب، كما قالت فاتن.

ـ ادخل يا رامي.

لم يكن رامي قد تخرج بعد. لم يكن أحد قد تخرج بعد. في الواقع توقف التعليم تمامًا. وهكذا ظل في الثلث الأخير للعملية التعليمية إلى أن يحدث شيء آخر.

ـ مبروك.

قالها دون أن ينظر له، لكن لهجته تقول بوضوح: «أنا أحسدك أيها الوغد. أنت امتلكت الجمال. امتلكت العنق العاجي وغابة الشعر الأسود، وبوسعك أن تموت وتدفن فيها في أي وقت».

في ارتباك قال رامي:

ـ لم يكن.. الـ... إن الوقت...

كان يجيد هذه الحيلة. قل أي كلمات فارغة وسوف يملأ الشخص الذي تخاطبه الفجوات بما يريد. سوف يفهم ما تريد قوله.

هز دكتور مصطفى يده بما معناه أنه لا داعي للثرثرة، آخر ما يهتم به اليوم هو حضور حفل زفاف فتاة اشتهاها يومًا وظفر بها طالب عنده. ليس هذا هو الوقت.

قال رامي وهو يجلس دون إذن:

ـ في رأيك متى تنجلي الغيوم؟

ببساطة قال مصطفى:

ـ لن تنجلي.. الأمر واضح.

ـ سأكون شاكرًا لو شرحت لي لماذا هو واضح.

ابتسم مصطفى وجفف العرق الذي نما على جبهته. يحب هذه اللحظات التي يشعر فيها الناس أن الحياة سيئة فعلًا.. عندما يرى تفاؤلهم يسقط ليتفتت على قارعة الطريق. عندما تزول بشاشتهم أمام الصدمة القاسية للعلم.

لماذا انقرضت الديناصورات منذ ملايين السنين؟

آخر ما كان يتوقعه رامي هو أن تأتي سيرة الديناصورات في هذا الحديث. هل جن الرجل؟ أعاد السؤال للأستاذ:

ـ حقًّا لماذا انقرضت؟

ـ أنا أسألك.

ـ وأنا لا أملك إجابة.

ـ وأنا لا أعرف الإجابة. ثمة فارق بين السؤال والتساؤل.. بين الحقائق والنظريات.. بين المطلقات والهواجس.

الديناصورات...

هذه الكائنات العملاقة برهنت على كفاءة عالية في التكيف، وقد سادت الأرض ١٦٥ مليونًا من الأعوام. ثم زالت فجأة في ظروف غامضة منذ ٦٥ مليونًا من الأعوام. فجأة خلت خشبة المسرح وتهيأت لظهور الثدييات في أحقر صورة.. الفئران. ثم بدأت عجلة التطور وجاء ممثلون جدد يؤدون تمثيلية مختلفة تمامًا.

ماذا حدث وقتها؟ ما السر الرهيب الذي جعلها تزول؟ هل هذا السبب قابل للتكرار؟ بمعنى أدق: هل يمكن أن يجدنا الخلق الجديد مجرد حفريات غامضة بعد ملايين السنين؟

ـ أنت تعرف ما يفكر فيه كثيرون.. أن حضارات عظيمة قامت على هذه الأرض وفي كل مرة تبيد.. أي أن نفس البناية تم تشييدها عدة مرات وتنهار دومًا في النهاية.

لماذا انقرضت الديناصورات؟

هناك نظريات عدة يعرف رجل الشارع أكثرها.. منها نظرية غباء الديناصورات ونظرية الوباء ونظرية اصطدام النيزك.

الديناصورات كانت غبية، وكانت أمخاخها أقل من قطر عيونها. كانت شديدة الحمق مثلنا، وتتجه نحو نهايتها. قيل إن هجرة جماعية تمت فغرقت أعداد غفيرة منها في برك القطران. أنت تعرف هذه الصورة في كتب الخيال العلمي لديناصور يغوص في بركة قطران ويصرخ، بينما في الخلفية يحلق طائر «تيروداكتيل» نحو شمس حمراء.

النظرية الثانية تقضي بانتشار وباء قضى على الديناصورات. لا شك أن هذا سيناريو وارد لها ووارد لنا. تذكر أن وباء الأنفلونزا الذي أصاب الأرض عام ١٩١٧ قد أصاب كل كائن بشري على ظهر البسيطة وأباد قرى كاملة في سيبريا. وباء النهاية احتمال قائم دائمًا.

النظرية الأخيرة هي الأشهر طبعًا وتقضي بأن الديناصورات كانت تتمتع بصحة ممتازة عندما هوى نيزك عملاق من الفضاء، وهذا النيزك بعث سحابة كثيفة من الغبار في الجو، وبالتالي انتهى ضوء الشمس وبادت الحياة.

الواقع أن هذه النظرية هي الأقرب للصواب.

قال دكتور مصطفى وهو ينظر في عين الشاب:

ـ هل يذكرك النيزك العملاق بشيء؟

٢

النيزك العملاق الذي يهوي من السماء فيثير سحابة من الغبار ويحجب الشمس.

السيناريو الأكثر تخويفًا وإرعابًا...

ـ لو أنك خطفت رجلك إلى المكسيك لترى شبه جزيرة «يوكاتان» لرأيت فجوة مناسبة جدًّا لهذه النظرية.. فجوة تدعى «تشيكسولوب». ساعات الإيريديوم تؤكد أن هذا النيزك ضرب الأرض في ذات وقت انقراض الديناصور.. وهذه هي نظرية «K-T extinction» التي ابتكرها علماء في جامعة كاليفورنيا عام ١٩٨٠.. ومعناها «انقراض الديناصورات في الفترة بين العصرين الكريتاسي والثلاثي»، وهذا هو ما يطلقون عليه «الموت الأعظم».. وهو اهتمام علمي بدا غريبًا لبعض العلماء الذين اهتموا بكيف عاشت الديناصورات لا كيف ماتت.

إن السجلات الحفرية تؤكد حدوث موت مشابه من قبل، موت ثلاثية الفصوص «Trilobites». في حقبة ما كانت هذه الكائنات الدقيقة هي الحياة الوحيدة على ظهر الأرض، وقد تلاشت.. أبيدت.. جاء يوم قيامتها. لكن ثلاثية الفصوص كانت صغيرة قليلة الأهمية وأقرب إلى الصراصير، فلم تلق الاهتمام الكافي الذي ظفرت به كائنات عملاقة مهيبة مثل الديناصورات.

واصل دكتور مصطفى الشرح:

- منذ هذه اللحظة صارت ثقافة «النيزك الذي يمحو الحياة على الأرض» شعبية جدًّا. لاحظ أن كل فيلم ديناصور أو رجال بدائيين ينتهي بانفجار بركان أو حريق وفوضى عامة. هكذا يُمحى كل شيء.

- أنا لا أشاهد السينما.

- ولا أنا.. لكني أعرف أن الأفلام تنتهي بهذه الطريقة.

نيزك كهذا يعني نهاية الحياة تقريبًا. الأمر يشبه القنبلة الذرية. انفجار القنبلة يقتل مائة ألف. لكن آثار الإشعاع الممتدة تقتل مليونًا على مدى أعوام.

لا بد أن كارثة كهذه أدت إلى أمطار حمضية وظلام شامل، وهو ما يشبه الشتاء النووي، أضف لهذا كثافة غير معتادة في نسبة الإيريديوم في التربة في عدة مواضع، مما يرجح أن أجزاء النيزك لم تترك مكانًا إلا وسقطت فيه.

ثمة نظرية أخرى تتحدث عن انفجارات بركانية متعاقبة أدت إلى امتلاء السماء بسحب سود مما أدى لشلل الحياة.

في جميع الحالات صار المسرح خاليًا.

وفي ثقة وبطء بدأت الثدييات تولد ونباتات جديدة تشق التربة.

كان دكتور مصطفى يؤمن بأن هذا حدث قطعًا، وإن كان بعيدًا جدًّا عن القضية وعن الدخول في أي جدل بصددها.

لم يكن يعرف أنه سيختبر هذه النظريات عن كثب.. ومن مسافة قريبة جدًّا.

* * *

وقع الاصطدام كما قلنا.

كان دكتور مصطفى يعرف ما قاله العلماء الأمريكيون عن هذا السيناريو.. العلماء الذين لم يعد لهم وجود على الأرجح.

لو أن الاصطدام وقع في المحيط، فمعنى هذا موجات هائلة على السواحل.. سوف يتناثر الماء في الجو وتغرق قارات بأكملها. أما لو وقع الاصطدام على اليابسة فلسوف تحدث زلازل كثيرة.. تبدأ حرائق غابات في المركز نتيجة حرارة الصدمة، ثم ينطلق الفتات في الفضاء ويبدأ تفاعل من الصخور التي تطير ثم تسقط من جديد.. البعض يبقى معلقًا في الجو ويحجب نور الشمس.. وهكذا تصير الشمس معتمة أكثر من القمر لسنوات.. تموت النباتات.. ربما تموت الحياة كذلك.

كان دكتور مصطفى يمشي في الشوارع التي يخيم عليها الظلام.. وينظر إلى الناس المليئين بالبِشر لأن الاختبار القاسي قد انتهى، ويقول لنفسه: «تُرى هل من مصلحتي أن أعلم ما أعلمه؟ في بعض الأحيان يكون الجهل أفضل».

لكنه يشعر بلذة خفية.. لذة الأخ الأكبر الذي يعلم كل شيء وينظر من علٍ، ويشعر بشفقة على المخلوقات البلهاء. نشوة الكاهن القريب من الإله. ليكن ما يكون.. فلتنتهِ هذه الحياة، فهو لم ينل منها الكثير.. مسرحية سخيفة حان الوقت كي يسدل الستار عليها. وهناك بلهاء بدأوا حياتهم الآن! هناك بلهاء تزوجوا الآن أو يأتون بأطفال للعالم الآن!

كان يؤمن الآن إيمانًا قاطعًا أن إنجاب أطفال جريمة شنعاء اليوم. لقد صار التعقيم ضرورة.

ينظر له رامي في رهبة:

ـ إذن سنموت ببطء.. ميتة بشعة.

يقول في استمتاع بفكرة الفناء القادم:

ـ أعتقد أننا سنحسد أولئك الذين هوى عليهم النيزك فأبادهم.. نعمة الموت المفاجئ بلا خوف ولا جوع ولا ظمأ ولا ألم.

في أرجاء عديدة من العالم بدأت الزلازل.. وتهاوت بعض النيازك.. بعض البنايات القديمة قد تصدعت.

لكن مصر كانت بعيدة فعلًا عن مركز التصادم، لذا لم يبدُ أن شيئًا تغير ما عدا الظلام وبعض الزلازل محدودة الخطر.

الناس تعيش حياتها ولا تبدو قلقة.. فقط مندهشة لأن السماء مكفهرة طيلة اليوم. كأن الشمس قد نسيت الطريقة التي كانت تشرق بها. الشمس قد ضلت الطريق يا سادة. ربما راحت ترتاد مجموعة شمسية أخرى وتدفئ قومًا آخرين.

قال دكتور مصطفى:

ـ لكن هذه لن تكون نهاية الكون كما نعرفه.. فقط هي نهاية حياة البشر على الأرض كما نعرفها.

لقد بدأ السيناريو «K-T» فعلًا.. نفس السيناريو الذي أدى لانقراض الديناصورات منذ ملايين السنين. فقط هو موت بطيء قاسٍ.. برد شديد لكنه غير كافٍ لقتل الحياة على وجه الأرض.. ظلام دامس.. صارت الشمس حلمًا عسيرًا..

٣

قد مرت سنون طويلة على هذه الأحداث.

ربما مرت عشرون سنة ونيف.

في كل يوم كان الناس يدركون الحقيقة بشكل أكبر.

في كل يوم كانت الرؤية تصير أصعب.. الوجوه تزداد ضبابية.. القراءة شبه مستحيلة إلا على ضوء كشاف. وأدرك الناس أن الظلام يتوغل. لقد دخل الناس ممر الفئران.. ولن يخرجوا.

لم يعد هناك بصيص نور عابث متسلل يجد طريقه لعيونهم كما كان في أيام الكارثة الأولى.. بل صار ظلامًا كثيفًا حقيقيًّا كالذي تراه ـ أو لا تراه ـ إذا أغمضت عينيك الآن.

لم يعد هناك صباح.. لا نهار.. لا شمس.

الشمس لم ترحل وتقصد مجرة أخرى. الشمس لم تعتزل مهنتها. لم تمارس «الأنتروبي» كما توقع علماء الفيزياء، هي محبوبة تناديك في لهفة، لكن تفصلك عنها أستار كثيفة.

من حين لآخر تدوي عواصف رعدية مرعبة. ويهوي البرق ليحرق شيئًا. عندها فقط كان الناس يتذكرون ما هو النور السماوي. لكن كان يتم إطفاء هذه النيران خلال ثوانٍ لأسباب سنعرفها حالًا...

بعض الناس قد بدأوا ينسون شكل النور.. لكن الأطفال الذين ولدوا في الظلام لم يعرفوا سوى الضوء الصناعي. الضوء يأتي من النيران أو الكهرباء. لا يوجد مصدر آخر.

لقد ولد جيل كامل لم يرَ الضوء في حياته.. جيل من أطفال الظلام.. لكن أغلب هؤلاء كان يموت بأمراض نقص الشمس أو تتشوه عظامه بالكساح.

كان ضياء، ابن رامي، من هذا الطراز. لاحِظ أن الاسم ضياء. نوع فريد من أحلام اليقظة. لقد أدرك رامي أن ساقي الصغير تحولتا إلى قوسين لأنهما نمتا من دون شمس، لكنه سعيد الحظ لأنه رزق بابن سليم على الأقل في هذه الظروف الصحية المريعة. كانت فاتن تتوقع أن تظفر بكائن فضائي أو خرتيت نتيجة الإخصاب مع سقوط النيزك، لكن حظها كان وافرًا.

اليوم صار الصبي في العشرين. وصار رامي الشاب في الأربعين. لم تعد فاتن كما كانت. لكن هذه أشياء يمكن أن تعرفها باللمس.. هذه التجاعيد على وجهها. الجلد الذي فقد نضارته.. لكنه لن يرى الشيب في شعرها أبدًا.

لن يرى وجه ابنه أبدًا.

هذه أشياء تعذب أولئك الذين عاصروا النور. وهم يحكون عنه لأولادهم فلا يفهم هؤلاء شيئًا. يحسبونه كلام عجائز لا أكثر.

كان دكتور مصطفى حيًّا لسبب ما.. ولسوء حظه. كان يعيش وحيدًا كما كان، ويعاني اكتئابًا دائمًا. من العسير أن يرتقب المرء الموت عشرين سنة فلا يأتي، حتى صارت الحياة دعابة سخيفة لا تنتهي أبدًا، كما أن كل نبوءاته السابقة تحققت، مما أورثه نوعًا من الخبال، كأنه عراف إغريقي في مسرحية لـ«سوفوكليس». اعتاد رامي أن يزوره مرة كل أسبوع ويجلب له بعض الطعام، وفي كل مرة يسأل نفسه عن السبب الذي يبقي هذا الشيخ الوحيد حيًّا؟ كأن الموت لا يستطيع أن يجده وسط كل هذا الظلام.

* * *

هكذا انتهت من اللغة كلمات مثل «صباح الخير» و«نهارك سعيد». في البدء كان من يستعملها يجلب لنفسه السخرية، وبعدها صار من يستعملها يجلب لنفسه اللوم.

هناك أشياء لم يعد لها معنى. ما معنى أن اللبن أبيض؟ ما معنى أن البحر أزرق؟ ما معنى أن فلانًا اصفر من الحقد أو احمر من الغيظ؟ هذه ثقافة لم يعد فيها مكان للون.

هناك قصيدة قديمة لشاعر أمريكي يصف فيها الثلج لطفل كفيف.

يقول:

إنه أبيض يا صغير..

هل تعرف ما معنى أبيض؟

أبيض مثل خواطر الملائكة وأبيض كقلبك.

إنه بارد يا صغير..

هل تعرف ما معنى بارد؟

بارد مثل أرنبة أنفك في الشتاء ومثل أذنَي القطة الغافية في الخارج.

إنه يسقط ببطء يا صغير..

هل تعرف ما معنى ببطء؟

ببطء كالطريقة التي أقبِّلك بها هكذا.. هكذا.. هكذا.

صار تعامل الكبار مع الجيل الجديد تكرارًا دائمًا لهذه القصيدة.

٤

تعالَ معي نزور معرض الفن التشكيلي.

معرض فن تشكيلي في أرض عمياء. لا بد أن هذا جدير بالمشاهدة.. لكن كيف المشاهدة؟

تدخل كي تلمس اللوحات، وتبدي إعجابك بامتزاج الخشونة بالنعومة. يمكنك أن تميز عشرة أنواع من البروزات والأحاسيس. تتعلم أطراف أعصابك في الأنامل كيف ترى. مثلًا قال أحد النقاد عن معرض الفنان نادر وهبة:

- الخطوط الحادة البارزة القاطعة توحي بالحتمية، بينما المنحنيات الناعمة توحي بانكسار الروح. الخشونة سمة عامة في كل اللوحات.. صنعها الفنان عن طريق تمزيق ورق الصنفرة ولصقه على مسار البشرية. إنه يقول بوضوح إن الرحلة لم تنتهِ بعد.

تعلم الناس كيف يتعاملون بالنقود البارزة، لكنهم وجدوا أنها

مكلفة فعلًا، لذا عادوا للأوراق المالية القديمة مع اتفاق عام على ثنيها بطرق تدل على قيمتها. لم يكن من مصلحة أحد أن يغش لأن هذا يعني أن هناك من سيغشه غدًا.

كل هذا متوقع.. وعلى كل حال قنع الناس بالنور في بيوتهم. يشاهدون الأفلام القديمة التي تظهر أيامًا كانت الشمس فيها تغمر المروج، وقد اقتنى الأثرياء مصابيح شمسية تعطي ذات دفء ووهج ونفع ضوء الشمس لتنير بيوتهم.

أما ما لم يتوقعه الناس فهو أن تزحف الظلمة إلى بيوتهم ذاتها.

* * *

لسبب ما بدأت الطاقة تفنى في الكوكب كله.

المشكلة أن مصادر الطاقة بدأت كلها تضمحل وتفرغ.. لم تعد النار تشتعل.. لم يعد الخشب قادرًا على إطعام النيران.. لم يعد البترول ذا فاعلية.. كأن الشمس كانت الحبيبة التي تلهم كل مصادر الطاقة في العالم، وغيابها معناه موات الأرض.

لقد حار العلماء في فهم هذه الظاهرة، وقالوا إن السبب هو أن الطاقة في جميع صورها تأتي من الطاقة الحرارية للشمس والنجوم.. لا توجد مصادر طاقة أخرى في الكون.. من دون شمس تفقد الأرض ما اختزنته من طاقة حركية وضوئية وصوتية وكهربية (الأنتروبي). هناك نظريات عدة حاولت تفسير ما حدث لكن المهم في الموضوع هو أن الطاقة بدأت تتلاشى.

كان أول ما لاحظه الناس هو أن الأضواء خبت في ديارهم.. ثم انطفأت تمامًا.

خرجوا للشوارع مذعورين ليكتشفوا أن أعمدة النور لم تعد تعمل.

لم تعد هناك كهرباء.

بعد هذا اكتشف كل من يملك محركًا أو سيارة عتيقة أنها لا تدور.

حتى النار ذاتها لم تعد قادرة على تسخين شيء ولم تعد تبعث نورًا حولها. ولا يعرف الناس متى ولا كيف اختفت القداحات وأعواد الثقاب. لم تعد هذه الأشياء تباع لأنها لم تعد ذات قيمة.

هكذا كان العالم ينزلق بسرعة إلى فجوة مظلمة.. ظلام لا يمكن معه أن تضيء عود ثقاب أو مصباح كيروسين.

كانت النباتات تموت.

وتحولت مساحات هائلة من الأراضي الزراعية إلى صحراء.

في البداية كانت السيطرة المطلقة في هذا المجتمع للعميان. لقد كانوا كذلك منذ البداية ولم يخسروا شيئًا. كانوا يستطيعون تدبير أمورهم واستمرت الحال كذلك. وكان من الممكن لو أنك تملك القدرة على الإبصار أن ترى رجلًا كفيفًا يقتاد مبصرًا في الظلام. هناك فيلم شهير لـ«أودري هيبورن» اسمه «انتظر حتى يحل الظلام».. في هذا الفيلم هي امرأة كفيفة تواجه غزوًا من القتلة لدارها.. إنها ضعيفة هشة كعصفور صغير، لكنها تقرر أن تقطع النور عن البيت

ليسود الظلام.. بهذا فقد المهاجمون تفوقهم وصاروا دمى عاجزة في قبضتها.. إنها تعرف كيف تجد طريقها.. تعرف كيف تجد السكين.. تعرف كيف تهجم في الظلام وتقتل.

هذا هو ما حدث بالضبط في بداية أيام أرض الظلام.

مع الوقت تعلم الناس كيف يمشون عن طريق تحسس طريقهم، وبالتالي كان لا بد للسيارات أن تنقرض.. لا يمكن أن تقود سيارة في ظلام دامس حتى لو أردت. انقرض الطيران وعادت رقعة العالم ضيقة محدودة. كل بلد منغلق على نفسه يطبع صحفه بطريقة «برايل». وظهرت ثقافة جديدة هي ثقافة العمى.

بدأوا يأكلون الحيوانات وهم مذعورون من اليوم الذي ينتهي فيه هذا. وكانت الحيوانات بدورها تموت بسرعة مذهلة لأنها لم تعد تأكل النباتات.

إلا أن العلماء اليابانيين توصلوا إلى تخليق نوع من الأعلاف تأكله الحيوانات. وبدأ تصدير هذا المنتج إلى كل بقاع الأرض. هكذا استطاع البشر إنقاذ الثروة الحيوانية قبل أن تنقرض تمامًا، وهذا يعني انقراضهم هم أيضًا. الديناصورات لم تكن تملك عقولًا ولم تكن عندها هندسة وراثية، أما البشر فأحسن حظًّا.

لقد صار طعام الإنسان يتكون من اللحوم واللحوم واللحوم. عالم مصاب بالإمساك وبالطبع نقص في الألياف مما يجعل الطريق لسرطان القولون ممهدًا.

أما عن التسخين فالفضل يعود للعلماء الألمان الذين تمكنوا من تطوير نوع من البكتيريا التي تعيش في الظلام، وتقدر على إنتاج تفاعل حراري يصلح لطهي وجبة.. ربما يكفي للتدفئة كذلك.

نال العالم الألماني الذي طور هذه البكتيريا جائزة نوبل في الفيزياء، وقد تقدم ليأخذها وسط الظلام.. يحرك عصاه كي لا يتعثر على المنصة.. فقط ليصطدم بملك السويد الذي يفتش عنه إلى أن يجد يده فيدس فيها الجائزة.

قال له ملك السويد:

ـ متى تنتجون بكتيريا قادرة على توليد الضوء؟

قال العالم في انفعال:

ـ قريبًا يا مولاي.. قريبًا جدًّا.. سوف تعود البشرية للإبصار.. أعد بهذا.

صحيح أنهم وجدوا جثة هذا العالِم ملقاة في غابة مظلمة قريبة من داره في «لندرهوف» بعد عودته من السويد بأسبوع. وجدها رجل يتحسس طريقه نحو داره واستغرق رجال الشرطة وقتًا طويلًا حتى يعرفوا من القتيل. إن الطرق البصرية كلها لا تصلح. لكن أحدًا لم يربط بين كلماته الأخيرة وما حدث له. إن انتقال الأخبار عاد سيئًا كما كان، وهذا أدى إلى بطء غير معتاد في التعامل مع الحقائق والاستنباط والاستقراء. حينما عرف الناس

أن هذا العالِم قد مات كانوا قد نسوا تمامًا ما قدمه للبشرية، وقيل إنها عملية سطو مسلح.

***

كان الناس مستمرين في عملية التأقلم، وكما عرفنا صارت المستشفيات تنادي زبائنها بمكبرات صوت بدائية. والمطاعم تقوم بالتهوية على أطعمتها ليشمها الناس. يتساءل سائل كيف تعمل محركات المراوح إذن؟ الإجابة أن الزنبرك عاد ليسترد أمجاده القديمة. مروحة تعمل بـ«الزمبلك» صارت تساوي أكثر من عشر مراوح كهربية.. لقد كان الناس يعيشون قبل عصر الكهرباء والسيارة وها هم أولاء قد عادوا لذلك، مع فارق مهم هو أنهم يجربون الحياة بلا نار.

تطور الطب السريري ليواكب العصر. بعبارة أخرى انتهى دور البصر في الموضوع، واعتمد الكل على التحسس والسمع والدق. بالطبع انتهى دور أجهزة الأشعة تمامًا. فرع كامل مثل طب العيون لم تعد له أهمية وتم ضمه إلى الجراحة العامة. نفس الشيء حدث مع طب الأمراض الجلدية. في عالم لا يبصر لا يهم أن يمتلئ جلدك بالقروح أو البثور. لقد انتهت لفظة «قبح» تمامًا. فقط تطلب عون الطبيب لو شعرت بحكة أو التهاب أو ألم.

الأمراض المعدية ازدهرت بشكل غير مسبوق. هذا عالم لا يعرف التأثير المطهر لأشعة الشمس. كل شيء يفسد ويتعفن

ويتخمر. لهذا سادت الرائحة الكريهة بقاعًا كثيرة من البلاد.. دعك من أن انعدام الرؤية جعل المرء أقل حرصًا في عاداته الصحية. تذكر قصة الشاعر الماجن اللعين بشار بن برد الذي كان أعمى، ولم يتحرج من أن يبول أمام ضيوفه وهو يكمل كلامه معهم. عندما لاموه على ذلك قال لهم:

ـ أنتم مبصرون وأنا أعمى.. كان أولى بكم أن تغمضوا أعينكم ولا تنظروا، أما أنا فلا حرج عليَّ.

دعك بالطبع من أن غسيل الوجه وحلاقة شعر الرأس صارت أفعالًا نادرة.

وفي فترة من الفترات كان الشاب يذهب لبيت الفتاة مع أهله. هنا فقط يُسمح له بأن يتحسس عروس المستقبل هذه. وكانت الفتاة بعد هذا تدور على نساء أسرته ليتأكدن من أنها جميلة متناسقة الملامح.

هذا الإجراء كان مشينًا وغير إنساني بالطبع، لذا شاعت موضة الصور المجسمة.. صورة بارزة للجسد أقرب إلى تمثال يمكن أن يتحسسه العريس ليعرف إن كان أنف الفتاة الكبير قادرًا على أن يملأ حياته بالسعادة أم لا.

وببطء تسربت الصور المجسمة إلى كل شيء. صارت وسيلة تعامل حكومية معروفة. أما التوقيع فقد حلت محله بصمة الأذن.

* * *

في ممر الفئران المظلم تلقاه، وككل مرة تذوب بين ذراعيه.

لا تعرف عنه سوى أنه نحيل مفتول العضلات، وأن رائحة التبغ تفوح منه. في البدء كانت السجائر ثم صار يمضغ التبغ. ذقنه غير حليق طيلة الوقت. كانت علياء أخت رامي تلقى ذلك الفتى.. قال إن اسمه باسم وإنه مهندس. كانت تدرك جيدًا أنه يكذب. لِم لا؟ لا تهتم بذلك. الأسماء لا تضيف شيئًا إلى الواقع. لو صار اسمه مصطفى أو «ويليام» فلن يتغير.. لن تتغير شفتاه.. لن يتغير صوت تنفسه الهادئ في الظلام. هو يكذب.. وما المشكلة؟ هي تكذب أيضًا وتزعم أنها ممرضة اسمها نرمين.

علياء الآن في العقد الرابع، ولأسباب كثيرة لم تتزوج. المراهقة الساحرة اللعوب صارت امرأة ناضجة.. ولعلها مشت في نفس المسار الذي مشت فيه عزة.

أنت تعرف أنها تعيش وحدها بعد فرار عزة وزواج رامي ووفاة أخيها وأبويها. وفي الظلام لا يعرف كائن مَن زار مَن.

تعرف هذا المكان حيث تم اللقاء الأول منذ أعوام، وأخذته من يده لبيتها. لا يمكنها أن تزعم أنها قصة حب، بل هو احتياج عارم، وانجذاب هرمونات لهرمونات وجينات لجينات. لن يطول هذا.. هذان المبيضان سوف يفقدان القدرة ولسوف يكون عليها مواجهة شتاء طويل وحيد.

لا تجرؤ على فقدان ابن الظلام هذا. لقد أنجبته من أفكارها وخيالاتها. يمكنها تصور شكل كل خلية في وجهه. يمكنها أن تتخيل لون بشرته وشكل خصلات شعره الخشنة. مع الوقت صار هذا هو الشيء الوحيد الذي يربطها بالأرض.

بل إنها كانت ترتجف ذعرًا من عودة النور.. لحظة هزيمة الخيال عندما ترى الحقيقة. ثمة قصة أطفال قرأتْها ـ أيام النور ـ عن وحش مخيف يتولى أمر حسناء رقيقة كفيفة. يعاملها برفق وحنان ويحميها فتقع في غرامه، إلى أن يأتي اليوم الذي تستعيد فيه بصرها. لم تكن القصة رقيقة ولا رومانسية. لم تحب الحسناء الوحش لأن روحه جميلة مثلًا، بل أوشكت على الجنون وبخعت نفسها.

لو استعادت البصر واكتشفت أن هذا الغريب غول مخيف فلسوف تفعل الشيء ذاته.

فليبقَ الظلام.. بارك الله في الظلام.

ميلاد الخوف

١

في ممر الفئران المظلم تحكي قصة لابنك دون أن ترى شكله.. تعتمد على الذاكرة. تحكي دون أن ترى عينيه تتسعان في رعب وهو يحلق في عالم الأحلام. تحكي دون أن ترى انعكاس قصتك على صفحة وجهه كأنها حجارة تلقى في بركة. الحق إنه لشعور قاسٍ.

لكن الظلام كان أشد قسوة وقتامة بالنسبة للذين رأوا النور وعشقوه.

أن تمشي في مرج أخضر في ساعات النهار الأولى، تتسلل الشمس كخيوط عابثة بين الغصون، كأنها تحاول أن تجعلك تتعثر. وأن ترى قطرات الندى المحتشدة على أكمام الأزهار.. أن ترى فراشة.. فراشة واحدة تحلق جوار جدول.. ترى ضفدعًا يقف فوق جزيرة طافية من ورد النيل. عندها لن تتسامح مع الظلام أبدًا. لو كنت كفيفًا أو سقمت عيناك فلسوف تقبل الأمر بشجاعة، أما أن ينتزع هذا الحق منك بلا مرض فهذه هي القسوة بعينها.

يحكي رامي لابنه بعد العشاء الذي تكون من لحم ولحم ولحم:

ـ كنا نصحو من النوم لنرى الشمس.. جسمًا شديد الوهج عملاقًا حارًّا يبرز من الشرق.

يسأله الفتى:

ـ ما معنى «وهاج»؟

ـ أي إنه.. أي إنه يبعث نورًا قويًّا.

فيبتسم الفتى ويخجل من أن يسأل عن معنى النور.. فيقول في أدب:

ـ هه هه!

يواصل الأب الكلام:

ـ عندها كان القمر يتلاشى ومعه النجوم.. كأنه يتوارى خجلًا من كل هذا البهاء.

فيسأله الفتى في الظلام:

ـ «القمر»؟ هل هي تلك الشموس الصغيرة التي...

ـ لا.. أنت تخلط بينه وبين النجوم.

ـ والنجوم؟ هل كانت جميلة بحق؟

ـ لم يكن ثمة شيء أجمل منها. في القرية كنت أرقد في الحقل على ظهري أصغي لصوت الحشرات الليلية ونقيق الضفادع

في الجدول. وأنظر للسماء فأتخيلها فلاحة حسناء عملاقة نثرت الترتر على ثوبها.. هذا تشبيه روائي مبتذل لكنه معبر جدًّا.

ـ ما معنى «حسناء»؟

ـ أي متسقة الملامح. عندما تمرر يدك على جانب فمها لا تصطدم بشيء. لا تجد تلك الحفر التي تجدها على جانبي فم أمك. لا تحيط بعينيها تلك الأخاديد. هذه هي الحسناء. عمَّ كنا نتكلم؟

يقول الفتى في ملل:

ـ عن معنى «فلاحة حسناء تشبه النجوم التي...».

ـ نعم.. نعم.. ثم يدنو الليل من نهايته. تقترب الشمس من الأفق الشرقي. عندها يصطبغ الأفق بلون الدم مخلوطًا بلمسة قرمزية وردية بنفسجية.

ـ ما معنى هذا كله؟ وما هو لون الدم؟

ـ إنه أحمر.

هكذا كان حوار الطرشان يستمر عدة ساعات. إنه في الواقع يعذب الصبي. الصبي يصغي تأدبًا بينما أبوه يكرر اللعبة الخالدة التي لعبها الأجداد والآباء منذ فجر التاريخ: استعراض بضاعة ذكريات صدئة لم يعد لها ثمن. تبًّا لذكريات الشيوخ! تبًّا لذكريات الشيوخ! الآن جاء دوره كي يكرر ذات الطقوس اللعينة. لكن جده

كان يحكي له عن الدجاجة التي سعرها مليم، بينما هو يحكي لابنه عن وهم اسمه «النور».

هنا تدخل فاتن في نوبة هستيريا. تشهق بسرعة وبلا توقف. شهيق يمتزج ببكاء ويزداد إيقاعه سرعة. أحيانًا تشعر بأن الظلمات طبقات فوق روحها.

قالت وهي تتهانف:

- كنت رائعة الجمال.. كانت النظرات اللزجة تلتصق بلحمي كالعلق، وكنت أشتهي أن أستحم لأزيلها.

قال رامي:

- نعم كنت رائعة الجمال.

- وكان دكتور مصطفى يحوم حولي كغراب.. كنت أراني في عينيه أسيرة مكبلة هشة، فكنت أرتجف خوفًا.

- الشهوات ماتت.. الفكر مات.. العلم مات.. كل هذا صار ترابًا يعبث فيه الدود. لقد انتهى فصل كامل من مسرحية حياتنا. الفصل التالي ديكور مختلف تمامًا.

- اليوم أتحسس وجهي فأدرك أنني فقدته. لقد ضاع في الظلام.

هنا يتدخل ضياء:

- لا أفهم نصف ما تقولون، والنصف الآخر لا يعنيني أن أفهمه، والنصف الثالث لا أعرفه بعد.

ـ كنا نتكلم عن الكون الذي انتهى.. عن الجنة التي كنا فيها ثم طردنا، لا من أجل تفاحة ولكن بسبب نيزك. نيزك لم يدرس ما يكفي من قوانين الفيزياء.

وفي الظلام راح يضحك إذ بدت له هذه الدعابة ظريفة جدًّا.

* * *

قال الأستاذ شوقي بصوت عالٍ جهوري يميز مدرسي اللغة العربية في كل مكان وزمان:

ودارٌ لهـا بالرقمتيـن كأنـهـا   مراجيع وشم في نواشر معصم

ثم قال سائلًا:

ـ هل تعرفون معنى «مراجيع وشم»؟

ارتفع صوت رقيق لطالب يدعى عمرو. هذا صوت عمرو ولا شك في ذلك. يقول:

ـ الشاعر يشبِّه بقايا الدار بأثر الوشم في معصم المرأة.

ارتفع صوت طالب آخر:

ـ كيف يبدو يا أستاذ؟ هل هو شبيه بالعروق؟

كانت هذه هي المشكلة. هؤلاء لم يروا وشمًا أصلًا.. ولم يروا العروق كذلك. من السخف أن تكلمهم عن شيء لم يروه.. أن تكلمهم عن بقايا الديار و«مشية الظباء» و«العيون التي في طرفها حور» وهم لم يروا النور قط. لقد اتفق معهم على أن القدامى

كانوا يتمتعون بشيء فريد هو أنهم يبصرون. لم يكونوا يعتمدون على السمع، لكن كانت عندهم حاسة فريدة من نوعها. لم يفهم التلاميذ الأمر واعتبروه شبيهًا بمن يقول لك إن القبائل القديمة كانت تستعمل التخاطر الفكري.. مجرد انبهار مع مسحة حسد ثم ينسون الأمر تمامًا.

لكن مشكلته كانت هينة نوعًا. التعامل مع اللغة سمعيًّا أمر سهل، والدليل أن مكفوفين كثيرين نبغوا في اللغة. المشكلة الحقيقية كانت تواجه مدرِّسي الفيزياء والكيمياء والأحياء حيث البصر جزء لا يتجزأ من المعرفة.

هكذا كانت العلوم تنقرض بسرعة جهنمية على هذا الكوكب منذ ساد الظلام.

* * *

ذكريات ضبابية تتدافع في ذهن فاتن.

منذ طفولتها كان الظلام يجعلها موشكة على الاختناق، كأن الأكسجين في عالمنا مضيء والظلام هو ثاني أكسيد الكربون. مشاهد عدة تتداعى لذهنها.

فاتنة الشارع. ثم فاتنة الدفعة. لقد تعلمت أنها تشكل الاختبار الأقسى لأعصاب الرجال، وأنها رسالة حرمان دائمة لهم: «أنتم لستم سعداء! أنتم لستم جيدين بما يكفيني». وكانت الرسالة قاسية وعلمت الرجال أن يتهيبوها كأنها نبات نادر غريب.

عندما ذهبت لغرفة دكتور مصطفى في ذلك اليوم، كانت تعبث مع حظها. تعرف أنها ستعذبه لكنه لن يفعل شيئًا سوى النظرات النهمة. كانت تتسلى كما يتسلى المرء بخيط يجذبه أمام قط. لكنها لم تدرِ مدى تهور الرجل وحمقه.. لقد انهار أمامها كقلعة هد المنجنيق أسوارها.. الأدق أنه انهار كسد كاد يغرقها، وفجأة وجدت أنها محاصرة بينما هو يحاول التقاط شفتيها كنورس يلاحق سمكة.

كانت المفاجأة مذهلة، ثم ما تلا ذلك من ظهور رامي. رامي كان شابًا لا يمتاز بشيء سوى أنه باهت. لكنها حملت له تقديرًا كبيرًا لأنه أنهى الموقف الأليم، وكرهته كثيرًا لأنه رأى لحظة ضعف الكاهنة الكبرى. بعد هذا بدأت تشعر بدهشة ثم راحة لأنه لم يحاول استغلال ما يعرفه. ربما لأنه باهت كما قلنا.

ثم كان ذلك اللقاء مع شلة المتظاهرين بحب الثورة. هي لا تهتم بهذه الأمور لكنها كانت في حاجة إلى تبديد توترها النفسي بأي تجربة فريدة تطهرية أقرب للزار. فجأة هو هناك ثم يوقعها في غرامه بعبارة «من العسير أن نمارس حريتنا وهناك من يحسب كل خطوة نقوم بها ألعوبة قذرة أو نوعًا من الوقاحة السافلة الدنيئة.. الشعور المزمن بالذنب دون أن أقترف ذنبًا! عندما أرى عينيك أكره نفسي بلا سبب واضح».

ثمة عبارات تكشف كل جوانب أرواحنا، وكل الأركان المظلمة. من عبارة واحدة تعرف كل شيء عن الآخر. وقد كانت هذه العبارة هي ما جعلها تشعر أنه أفضل مما تصورته.. أظرف مما تصورته..

أنبل مما تصورته.. ربما هو أوسم مما تصورته. ربما كان هذا وهمًا لأنها عاجزة اليوم عن تذكر ملامحه.

النيزك والزواج السريع وبكاء الأهل.

أسرته وأسرتها والشعور بأن هذه جنازة مؤسية.

وحينما ارتمت في حضنه أخيرًا كانت تبكي من خيبة الأمل. ما نوع الحظ الذي يجعلك تظفر بحبيبك وأنتما ستموتان قريبًا؟ ما أقسى أن تمنحه نفسها على الضوء الخافت القادم من النافذة الذي يشي باحتضار الشمس.. سيمفونية النهاية.

ثم سقط النيزك ولم يحدث شيء.

كانت تلك لحظات خادعة حسبتْ فيها أن الحظ قد حالفها، وأنها نجحت في سرقة التفاحة الفاخرة البراقة من فوق المائدة دون أن يمسك بها أحد.

* * *

الليلة الأخيرة لدكتور مصطفى كانت قاسية.

هناك كان في الفراش، وكان يلهث ويسعل. على الأرجح كانت نوبة قلبية، لكن كيف تعرف هذا في الظلام؟ كان يتحدث عن ألم عاصر خلف عظمة القص وعن لهب في ذراعه اليسرى، وعن... كان يتحدث عن موت.

قال إنه يموت فوافقه رامي. لم يعد هناك مجال للمجاملات،

خاصة أن الأستاذ الشيخ كان يرغب فعلًا في الرحيل. لم تكن هناك نظرات متعاطفة في العيون ولا ابتسامات مشفقة. كل شيء يتم في ظلام دامس كأنه مسرح أسود.

همس بصوت كالفحيح:

ـ كيف حال فاتن؟

لأول مرة يسأل عنها منذ ذلك الحادث القديم. كانت تلك هي العلامة. لم يعد من داعٍ لوضع الأقنعة. قال رامي في الظلام:

ـ الظلام يخنقها.

قال دكتور مصطفى:

ـ أرجو ألا تحقد عليَّ.. بعد كل هذه الأعوام أعتذر لك عن تحرشي بمن صارت زوجتك.

ـ لم تكن زوجتي وقتها.

ـ لكني مكثت أشتهيها حتى بعد ما صارت زوجتك.. إنه الظمأ الذي لا يرتوي.

واهتز صدره بضحكة مكتومة آلمته. تمنى رامي لو يضع الوسادة على وجهه ويخنقه، لكن لا داعي لذلك. لا أحد يخنق جثة أو يغتاظ منها.

عاد الشيخ يقول:

ـ فقط قل لي.. هل هي رائعة حقًّا كما كانت تبدو لخيالي الظمآن؟ هل منحتك هبة الحب والجمال حقًّا؟

تمالك رامي أعصابه وأدرك أنه لو طال الأمر فلسوف يبصق على الرجل في الظلام ويرحل. لكنه قال من بين أسنانه:

ـ رائعة.. أروع شيء في العالم. ينبوع الأنوثة الخالد الذي تستحم فيه عذارى الليل.

ـ كنت أعرف هذا! لقد نلتها ألف مرة في خيالي وأعرف!

يا لأعصابك! لا تنزلق فتهشم أنفه. لا تتهور فتتحسس عينه في الظلام فتفقأها.

ـ لكن الظلام حجب جمالها، وقد شاخت.. أنت تتكلم عنها منذ عشرين سنة.

ثم في عصبية قال:

ـ لو كنت تنوي إضاعة آخر لحظات لك في مغازلة زوجتي، فإنني سأنصرف ولتمُت في الظلام وحدك.

تمسكت به أنامل مصطفى الراجفة وقال:

ـ لا.. امنحني لحظات أخيرة من التسامح. قد ظللنا صديقين لفترة طويلة.. أنا لا أتوقع أن تستمر الحياة على كوكب الأرض كثيرًا من بعدي.. لا يمكن لكوكب أن يعيش من دون نور شمس، لأن الحياة العضوية سوف تذبل مع الوقت.. صحيح أن السيناريو أبطأ مما توقعت لكن هذا لا يغير شيئًا.. الكوكب مقضي عليه بالهلاك.

أمسك رامي يد الشيخ في الظلام وهمس بصوت مبحوح:

ـ عشرون عامًا رقم تافه في حياة كوكب.. سحابة عابرة كسحابة النيزك.. ألا تتوقع أن تنقشع هذه السحابة مع الوقت؟

ـ ربما.. لكن انقراض البشرية سيكون أسرع.. تعالَ بقربي.

أدنى رامي أذنه منه فهمس له بسر معين. سر من الطراز الذي يثقل حامله. سر لن نجرؤ على ذكره هنا. ربما تطرقنا له فيما بعد وربما لا. أُدرك جيدًا أن عدم ذكر هذا السر سيحبط القارئ، ويفسد إشباع القصة له، فالسرد الروائي كله نوع من التلصص في النهاية، لكن لا أريد أن أثير حفيظة رامي.

لقد أدرك رامي في هذه اللحظة الحكمة القدرية الغامضة التي جعلت علاقته تنشأ بهذا الشكل مع أستاذه. لماذا تواجد في تلك اللحظة في ذلك المكان؟ الكيمياء الغامضة التي تحرك الكون.

ثم سعل الشيخ بعض الوقت قبل أن يقول:

ـ وداعًا.. قل لفاتن إنني...

ولحسن الحظ شهق شهقة أخرى وغادر العالم.. إلى عالم مضاء أو عالم أكثر ظلامًا. لا يعرف هذا سوى الله. ولا ننكر أن رامي شعر برضا لأن الشيخ الشهواني الذي لم يطفئ شهواته قط لم يكمل جملته الأخيرة.

زحف نحو الباب وهو يفكر في الطريقة التي سيتم بها نقل هذا الجثمان ودفنه.

* * *

كان هذا أسبوعًا حافلًا.

لقد توفيت عزة أخت رامي هي الأخرى بعيدًا عن أسرتها، وقد أمسك بيدها المعروقة المذعورة ابنها هشام. لم تأتِ علياء منذ أشهر، ولا أحد يعرف أين هي. من السهل أن تفقد أسرتك وأحباءك في الظلام. لقد تفرقت الأسرة ومضى كل واحد في اتجاه كقارب انقطع حبل مرساته. لا يمكن استعادته. الظلام دامس فلا يعرف أحد شيئًا ولا يرى لغة الإيماءات على وجه الآخر.. الموت في الظلام عمل قاسٍ غير إنساني. أن تتصور الموت ولا تراه.

كان سرطان الثدي قد فتك بها، وفي عالم بلا نور انتهى علم الأشعة أصلًا. فقط قال الأطباء إن الداء أدى لتسوس عظامها جميعًا.

لم تكن قد رأت وجه ابنها قط، وهو لم يرها منذ جاء العالم.. لكنها أحبت صوته، وهو عشق صوتها. وعندما شعرت بأن النهاية قادمة قررت أن تخبره بالسر كما رأته في ألف فيلم من قبل. معلومات بالغة الأهمية:

ـ أبوك يدعى عبد الخالق.

ـ وأين هو؟

ـ لا أعرف.

ـ وبقية اسمه؟

- لا أذكر.

- هل هو حي؟

- لا أدري.

ثم بيدها الناحلة المرتجفة أمسكت بيده وقالت:

- عندما تقابل رجلًا ريفيًا اسمه عبد الخالق، جففه الجبن المالح والبلهارسيا، فثمة احتمال واهن أن يكون أباك. ما لم يكن السرطان قد قتله بدوره.

ثم شهقت في الظلام وتلت الشهادتين.

- ربِّ أنا أحمل إصرًا ثقيلًا من الخطايا.. اغفر لي فأنت خلقتنا وتعرف ما نحن فيه من وهن. اغفر لي فقد كنت موشكة على الجنون. اغفر لي تلك اللحظات المجنونة وسط المقاعد المقلوبة والغبار والفئران الفضولية، وعندما نهضت كانت تنورتي ملونة بغبار الطبشور كلها. وبعدها لم أرَ عبد الخالق ثانية. النيزك لم يسقط ليمحو آثامنا. وكان عليَّ أن أترك البيت.

ثم هتفت في نشوة:

- أرى النور من جديد.. أرى نهاية النفق.. أنا أُحَلق!

لم يكن هشام قد رأى النور قط، ولا يعرف ما تتكلم عنه، لكنه قدر أنها تقلد ما قرأه مرارًا في تلك الكتب البارزة التي يجدها. هناك هواية لدى المحتضرين أن يقولوا إنهم رأوا النور. بدا له هذا مفتعلًا

سخيفًا. كل الناس تعتقد في نفسها الشفافية، بينما على الأرجح لا يوجد وراء الظلام سوى المزيد والمزيد من الظلام.

حتى الصمت لا وجود له في الجبال..
وإنما فيها رعد مجدب بلا أمطار..
حتى الوحدة لا وجود لها في الجبال..
وإنما فيها وجوه حمر كئيبة تهزأ أو تكشر..

٢

كان هذا هو ممر الفئران.. فئران عمياء مذعورة تتدافع.. ممر ضيق عطن الرائحة.

لقد طرأت تغيرات كبرى على العالم.

لا يعرف أحد متى صارت حقيقة واقعة لكنها كانت تدريجية جدًّا.. مثلما ترقب أنت الغروب في عالمنا فترى الشمس ساطعة ثم تتداخل بعض الظلال والألوان. لا يهم.. ما زال الضوء موجودًا.. تزداد الظلال كثافة ويصطبغ الأفق باللون القرمزي. لا تدري متى ولا كيف وصلت لهذه النتيجة.. لكنك صرت في الليل فعلًا وهاك كوكب الزهرة يضيء وحيدًا فوق البنايات في خط الأفق.. متى صار النهار ليلًا؟ لا تستطيع أن تمسك بلحظة فاصلة.

هكذا لا يذكر أحد متى بدأ عهد القمع.

يبدو للبعض أنه كان موجودًا منذ الخليقة.. أو أنه كان دومًا هنالك.

يذكرون أولًا عصر النور، ثم بعد يذكرون عصر الظلام الممزوج بالحرية.

تبدو أطيافًا نائية كأنها أحلام.

القومندان.

مَن هو القومندان ومتى سمعوا عنه؟

إنه كيان أورويلي غريب يذكرك بالأخ الأكبر الذي يراقبك دائمًا. وبما أن أحدًا لم يره فإنه تحول إلى معنى أو رمز.

ربما منذ عشرة أعوام وربما منذ خمسة أعوام. لا أحد يذكر بالضبط. فجأة أدركوا أن في حياتهم قومندان، وأن لدى الشرطة سيارات وأن رجالها يرون في الظلام.

قالوا إن الرجل الذي لم يره أحد قد اتخذ مقره فوق قمة الهيمالايا.. في أعلى موضع من العالم، يمكن لهذا الرجل أن يرى ضوء الشمس لأنه يعلو طبقة سحب الغبار التي تغلف العالم.

من هذا الرجل؟ من أين جاء؟ لا أحد يعرف. يقولون إنه راهب من رهبان التبت.. يقولون إنه ساحر شرير.. يقولون إنه نصف إله.. هو قوي جدًّا تسانده عصابة قيل إنها من الجنرالات السابقين المنشقين على جيوش الصين والاتحاد السوفيتي سابقًا.

هذا الرجل جاء حرفيًّا ليحكم العالم.. من مقره الشبيه بمقرات أشرار أفلام «جيمس بوند» يمكنه أن يراقب كل شيء.. يمكنه أن يقصف بصواريخه أية دولة متمردة.

لكن النقطة الأهم هنا هي أنه يرى بينما الناس جميعًا لا يرون.. إنه فوق مستوى الظلام.. بالتالي هو قوي جدًّا كأي مبصر يسيطر على مجموعة من العميان.

* * *

بسم الله الرحمن الرحيم. من أمير الجيوش الفرنساوية خطابًا إلى كافة أهالي مصر الخاص والعام. نعلمكم أن بعض الناس الضالين العقول الخالين من المعرفة وإدراك العواقب، أوقعوا الفتنة والشرور بين القاطنين فى مصر، فأهلكهم الله بسبب فعلهم ونيتهم القبيحة، والباري سبحانه وتعالى أمرنى بالشفقة والرحمة على العباد. فامتثلت أمره وصرت رحيمًا بكم شفوقًا عليكم، ولكن حتى كان حصل عندي غيظ شديد وغم شديد بسبب تحريك الفتنة بينكم، ولأجل ذلك أبطلت الديوان الذى كنت قد رتبته لنظام البلد، والآن توجه خاطرنا إلى ترتيب الديوان كما كان، والعاقل يعرف أن ما فعلناه بتقدير الله تعالى وإرادته وقضائه، ومن يشك فى ذلك فهو أحمق وأعمى البصيرة.

بونابرت

* * *

استيقظ الناس في ذلك اليوم ليسمعوا مكبرات الصوت تذيع البيان الأول للقومندان، وعلى عتبات بيوتهم شعروا بالملصق الخشن على طريقة «برايل»، والذي ألصقوه ليلًا. من يجيدون تلمس «برايل» منهم تكلموا بصوت مرتفع راجف:

إلى رعايا القومندان في أرجاء الأرض،
هناك في أصقاع سيبيريا وفي شوارع لندن وفي أزقة اسطنبول ومعابد التبت ومساجد القاهرة.. في غابات أفريقيا وفي صحاري استراليا.

اعلموا أن القومندان هو القلب الذي يرعاكم ويعنى بكم، ويوفر لكم حياة كريمة. لكنه في الآن ذاته يحكم العالم، وليس بوسع أحد أن يقاومه.. القومندان لا يطالبك بشيء ولا يرغمك على التخلي عن وطنك أو دينك أو مالك أو عرضك.. المسلمون سيظلون مسلمين.. المسيحيون سيظلون مسيحيين.. اليهود يبقون يهودًا.. وكذا يبقى البوذيون والكونفوشيوسيون والهندوس.. فقط يطلب القومندان أن تقدموا له نسبة من منتوج بلادكم مقابل حمايتكم، وأن تقبلوا بسلطته.

المكفوفون في عالم قاسٍ سريع الإيقاع هم أقرب لأطفال يتخبطون ويحتاجون لحماية. الظلام يجعل المرء هشًّا بلا أنياب ولا أسرار.

القومندان يرى.. لهذا يقدر على حمايتكم كما أنه يقدر على إيذائكم. إن القومندان دانٍ من الشمس؛ لهذا لديه موارد الطاقة ولديه النباتات التي استزرعها على قمة الجبل.

لكن القومندان اختار لكم الظلام. عقيدتكم هي الظلام. الظلام مقدس. الظلام طاهر. لهذا يجب أن تعيشوا فيه أبدًا. النور دنس يلوث الظلام لهذا يحرم عليكم البحث عنه. لا أحد يشعل نارًا حتى لو كان

هذا ممكنًا. لا أحد يبحث عنها. إن النار حق أصيل للقومندان وليس من حق سواه.

في الأساطير الإغريقية استأثرت الآلهة بسر النار دون البشر، لكن «برومثيوس» حاول نقل السر إلى البشر وسرق جذوة من نار. عوقب بعدها بأن انتشرت الأرواح الشريرة في الأرض بعد ما فرت من «صندوق بندورا»، وعوقب بألم أبدي إذ تدلى بين جبلين بينما الرخ يناوشه ويلتهم كبده.

لن يكون العقاب في أرضنا أقل قسوة.

إن من يجرؤ على استعمال النار أو البحث عنها يرتكب إثمًا يقترب مما يسميه أتباع الديانات بالكفر. جزاء استعمال النار بأي شكل هو الموت.. العذاب ثم الموت.

تذكروا أن القومندان لا يطلب منكم التخلي عن ديانتكم أو معتقداتكم أو كرامتكم.. كل ما يطلبه هو أن تتخلوا عن كبريائكم.. وأن تمنحوه الولاء والطاعة.

٣

لنا أن نتصور الهلع المخيف الذي أحدثه ذلك المنشور في العالم كله.

أن تكتشف فجأة أنك لست حرًّا، وأنك خاضع لنظام قمعي قادر على سحقك، وأنت في حالة وهن وهشاشة شديدة. بعد قليل تخضع. بعد قليل تقنع نفسك أنك مطمئن لأن هناك من يعنى بك. ثم تشعر بامتنان عميق لوجودك في ممر الفئران. أين كنت ستكون لو لم تكن هناك؟

في البدء شعروا أن الرجل يستدرجهم إلى نوع من العبادة، وتأهبوا للثورة، ثم رأوا بأنفسهم أنه لا يطلب شيئًا سوى المال والنفوذ.

وهكذا خضعوا بلا مناقشة لهذا الكلام. الحاجة إلى أن تخضع قد تكون قوية أحيانًا. غريزة لدى البشر.

لقد أرغموا أنفسهم على الحياة في ذلك العالم المغلق المظلم الذي اختاره لهم. هذا الوضع الذي يطلق عليه الغربيون اسم «brain in a vat» أو «المخ في وعاء زجاجي».. حياة كاملة مزيفة تعيش فيها راضيًا منعزلًا عن العالم الخارجي الحقيقي.

كانت التغيرات سريعة.. ولم يفهم رامي معنى ما يدور. كل ما يعرفه هو أن الظلمة لم تزل، وأن أحدًا لم يعطهم وعدًا بأن ينتهي الظلام. إذن فكل الأمور سيان.

ابنه ضياء سأله:

ـ ما نتيجة هذا؟

ـ لا أدري.

ـ هل يزيدنا بؤسًا؟

ـ لا شيء يمكن أن يزيدنا بؤسًا على قدر علمي.

ـ هل يزيدنا سرورًا؟

ـ لا شيء يمكن أن يسرنا على قدر علمي.

ـ إذن ما معناه؟

ـ لا معنى له.. هو موجود فحسب على قدر علمي.

أبقِ رأسك منخفضًا وابتعد عن أي تفكير في النور، واحرص على ألا تعتقلك الشرطة. أطع الجميع. اصمت. عندها قد تمضي حياة طيبة وتموت سعيدًا. وفي العالم الآخر قد ترى في نهاية النفق بصيص النور الذي حكى عنه الأقدمون.

في الوقت ذاته تقريبًا بدأت ظاهرة دوريات الشرطة. لقد صارت الشرطة في كل البلدان خاضعة لهذا القومندان. وقد لاحظ الناس

أن سيارات هؤلاء تعمل برغم مشكلة الطاقة العامة. معنى هذا أنهم طوروا تقنية خاصة بهم.. قيل إنها الخلايا البيولوجية.

هنا تذكر الناس ـ بعضهم على الأقل ـ العالِم الألماني الذي وجد قتيلًا.. «برومثيوس» الذي اقترب من سر النار فقضى عليه علمه. كان هذا العالِم يحلم بأن يوَلد الضوء بطريقة بيولوجية. يمكن لذوي الخيال الخصب أن يتصوروا أنه قُتل لهذا الغرض بالذات.. لمنعه من القضاء على الظلمة، وهي السلاح الأقوى في يد القومندان. دعك من أن تجارب العالِم على الأرجح هي التي جعلت هذه المحركات تعمل. لا بد أن هناك من سرق أبحاثه ونفذها وقتله كي لا يقدم أكثر.

لم يبقَ مما قدمه للبشرية سوى القدرة على تسخين الطعام أو تبريده. في هذا العالم يُسمح لك بالطعام لكن لا يُسمح لك بالنور.

كيف ومتى تم اختيار رجال الشرطة هؤلاء؟ لا أحد يعرف. لا أحد يعرف شخصًا تقدم لهذا المنصب أو عُرض عليه. كأنهم شياطين جاءت من السماء فجأة، وقال البعض إنهم كائنات فضائية جاءت من كوكب آخر.

النقطة الثانية هي أن هؤلاء يبصرون. وكم من شابين وقفا يتهامسان فقط ليشعرا بأيدي رجال الشرطة الغليظة على كتفيهما. متى جاء هؤلاء وكيف؟ لا يوجد سوى احتمال واحد، هو أن رجال الشرطة منتشرون بشكل لا يمكن تخيله، وأنهم يرون. لا يمكن سوى لإنسان يرى أن يقوم بهذه العمليات. وفيما بعد

عرفوا أن هناك أجهزة إبصار خاصة يضعها رجال الشرطة. إنها قريبة جدًّا من أجهزة الرؤية الليلية التي نعرفها نحن، لكنها ذات مرشحين.. مرشح يقيس الحرارة المنبعثة من الأجساد، ومرشح يقيس الأشعة الكونية الشحيحة التي تصل للأرض. ومن هاتين الصورتين تتكون صورة عالية الدقة كأنك تراها في شمس الصباح، لكنها ذات صبغة خضراء.

هكذا تتحرك الشرطة في كل مكان وسط أناس لا يرون شيئًا. هذه قوة مروعة.. نفس القوة التي ينعم بها أي جيش يملك معدات الرؤية الليلية. تصور ما يقدر عليه جندي مكافحة الشغب الذي يلبس قناعًا مضادًّا للغازات وسط متظاهرين يحرق الغاز المسيل للدموع عيونهم. إن قوته لمطلقة.. إنه يرى.. إنه يتنفس.

كان الناس في كل العالم لا يعرفون أن هناك نهبًا يجري لهم. في مصر مثلًا لم يكن أحد يعرف أن المتحف المصري صار خاويًا، وإن سرت إشاعات كهذه. في فرنسا لم تعد هناك لوحة واحدة في «اللوفر». ما يتحسسه الزوار والسياح هو هياكل مزيفة.

أين ذهبت هذه الثروات؟ على الأرجح هي هناك في جبال الهيمالايا. إن القومندان قد قرر أن يحب الفنون بالإضافة إلى نفوذه.

لكن أحدًا لا يتكلم عن هذه الأمور، لأنه قد يفاجأ بأن جاره ليس وحده. يمكن أن تتكلم ربع ساعة ثم تكتشف أن هناك عشرة رجال شرطة في الغرفة معك.

وقال الحكماء عندما سمعوا إشاعات عن هذا:

ـ ما الذي يهم في بعض التماثيل؟ إن العالم يتجه نحو النهاية بسرعة جهنمية.. فلماذا نبالي بأمور كهذه؟ يجب كي تنعم بالفنون أن تملك الحد الأدنى من البصر، وأن تكون حيًّا.. كلا الشرطين غير موجود. فلتذهب تماثيل الأقدمين إلى الجحيم.

عندما لا يوجد مستقبل، فلا جدوى من الماضي.

٤

يبدو أنه صار من الواجب أن أصف لك شكل ماهر، أو ـ على الأقل ـ أشرح طريقته في التفكير.

هذا مؤسف لأنني توقعت أنني لن أكون في حاجة إلى الكلام عنه بشكل مفصل، ولكن من الواضح أنه سيلعب دورًا مهمًّا في الأحداث.

في هذه السن يملك المرء روحًا رومانسية قابلة للاشتعال بسهولة، وهذا يتوقف على الجذوة التي تلمسها أولًا.. جذوة العودة للدين والحاكمية لله وحلم دولة الخلافة، أو حلم النضال الاشتراكي والمعتقلات والثورة والبروليتاريا المقدسة. دولة الخلافة أم «الكومنترن». المهم أن الروح تشتعل بأي من الطريقتين. هناك أرواح نادرة جدًّا تنجو من الاشتعال مثل روح رامي، لكن هذا استثناء. تلك الأرواح التي تولد شائخة خامدة لا يقدر شيء على إيقاظها.. أرواح المحظوظين الذين لن يشقيهم شقاء العالم ولن تعذبهم أحلام لم تتحقق.

يتكلم ماهر كثيرًا عن الثورة العالمية وحكم الفقراء، ويؤمن أن الشيوعية دين هبط على قوم من الكفرة فاستطاعوا وأده والقضاء عليه، لكنه سينتصر لا محالة لأنه إرادة السمـ... لأنها الحتمية التاريخية. لديه حشد من الكتب الصغيرة الصفراء التي لا أتحمل قراءة صفحتين منها. عقل ماهر يشبه نسيج العنكبوت المتشابك المعقد. لكنك تدرك على الفور حقيقة أنه ثائر على كل شيء، وهو يؤمن أن المجد للشيطان، من قال لا في وجه من قالوا نعم.

كان يخيل لرامي أن ماهر لو صار حاكم العالم أو منحوه ثروات الكون لظل غاضبًا ساخطًا. هذا الطراز من البشر يفتر ويبرد عندما يشيخ فقط، أو يموت شابًّا وهو يعوي في المعتقلات ككلب عقور. الاحتمال الأخير هو الأرجح.

ماهر نحيل.. يلبس ثيابًا رثة هي آخر شيء يصادفه لدى مغادرة المنزل. برغم شبابه وقتها فقد كان معظم شعر رأسه أشيب، وكانت رائحة التبغ تفوح من أنفاسه كما أن فمه لم يحوِ سنًّا سليمة. يجلس هناك في ذلك المقهى ويصفق مع الأغنية السخيفة:

قال لي قوم دافع عن عرضي   وطني صحاني من جوه
وبيرضع خيري من نهدي   قال لي الظالم خدني بقوة

كان يدرك ضعف مستوى الكلمات واللحن، لكنه تقمص ذلك الجو الثوري المميز لحوش قدم، حتى إن المطرب كان يجعل صوته مبحوحًا على طريقة الشيخ إمام مع صوت السعال في الخلفية. رأى وهو يغني كيف أن رامي جذب مقعدًا ليجلس جوار فاتن، وبطرف

عينه رأى محادثة بينهما تبدو فيها الفتاة أقرب إلى الحدة، ثم ساد الهدوء ولدهشته وجدهما ينهضان معًا ويبتعدان.

لا مشكلة.. كان يشعر أن هذه العلاقات طريقة تنفيس صحية عن الكبت، مما يجعل المرء متفرغًا للثورة. الثائر لا يستطيع أن يحقق ثورته بينما الخيالات الجنسية تطارده.

بعد هذا جاء موضوع النيزك الذي يهوي باتجاه الأرض.

هذه كانت إجازة من الثورة والحلم بالتغيير. لا أحد يحلم بالتغيير بينما نيزك سوف يدمر عالمه خلال أيام. قال لنفسه إن هذه قد تكون نهاية أفضل. سوف تبدأ البشرية من جديد على قواعد متساوية ولن يكون هناك أثرياء وفقراء. صحيح إنك لن تكون موجودًا لكنك ساهمت بدور ذرة رمل في الغد. غد لن يراه أطفالك لكن سيراه قوم آخرون.

قضى الأيام الأخيرة يحضر حفلات زواج أصدقائه الحزينة، التي تتم على عجل في بيت الأسرة. لم يكن هناك من يريد مواجهة الموت وحيدًا.

نجوان التي تبدو كشاب مراهق وسيم، والتي لم يرها بماكياج قط ولم يرها إلا مرتدية البنطلون الجينز، ولم يرها إلا وهي تحمل كتابًا وتدخن لفافة تبغ. نجوان الفنانة التشكيلية والشاعرة التي قابلها في أحد المعارض، وحضرت معه كل تلك الاجتماعات أو الاحتفالات الثورية الصغيرة. نجوان التي يميل لها لكنه لا يحبها. نجوان التي تتطابق معه فكريًا إلى حد مخيف. إنها هو بمبيضين.

نجوان تقف وحدها في الشارع ترمق السماء المكفهرة. دنا منها ووضع يده على كتفها وقال:

ـ نتزوج.

ظلت تنظر للسماء وقالت:

ـ بالطبع لا.. حسبت تفكيرك أقل تقليدية وأكثر تمردًا من غرائز الموظفين تلك. ما جدوى الزواج الآن؟ ما جدوى مؤسسة الزواج أصلًا؟ بعد قليل تتحدث عن الكوارع والجمبري وليلة الخميس!

لم يكن الجنس هو ما يريد منها الآن.. لكنها تلك الحاجة الغريزية ألا تموت وحيدًا. لا أحد يريد أن يكون وحيدًا في اللحظات الأخيرة، فلسوف يقضي الأبدية وحيدًا بعد ذلك. سيكون هناك الكثير من الوحدة فلا ضرورة للتعجل.

ـ أن نكون معًا في اللحظة الأخيرة.

ـ نحن معًا بالفعل.

حدث الارتطام وتصاعد الغبار.

عرف أنهما حيان، وعرف أن نهاية الحياة لم تأتِ بعد، لكنه لم يكن متفائلًا كذلك. كان يعرف أن الأمور ما زالت في مرحلة الخطر. ثمة نوع من الحدس جعله يتوقع أن تتطور الأمور أكثر، ولم يرُق له رقص الناس الأبله في الطرقات. هم يتعجلون النتائج بحق.

جاءت أيام الظلام، وصار المرء يرى يده بكثير من العسر.

قالت نجوان:

- من العسير أن يرسم المرء في ضوء شمعة.. على الأرجح سأتجه إلى النحت.

مع الوقت صار نور الشمعة عزيزًا ثم صار عديم التأثير.

نجوان تصنع مجموعة ممتازة من التماثيل. كما أنها اعتادت الرسم الملموس حيث تؤدي الخشونة والنعومة دور امتزاج الألوان على قماش الرسم. مع الوقت اكتسبت القدرة على تذوق هذه الأعمال، ورسمت في ذهنها صورًا عديدة للتماثيل التي تصنعها.

* * *

في الظلام يبحث ماهر عن ثغرها ويقتنصه. يشعر بالشفتين الحائرتين تنضغطان. يشعر بالأنفاس الحارة. تُرى كيف يبدو وجهها الآن؟ يبذل جهدًا عنيفًا كي يتذكر. رائحة التبغ الممضوغ تنبعث من فمها. هذا عالم كف الناس فيه عن التدخين لأنه لا يوجد لهب، غير أنهم لم يمتنعوا عن النيكوتين.

قال لها همسًا:

- أحيانًا أشعر أنني أحبك.

قالت بصوت كالفحيح:

- الحب عاطفة تملك بدائية. أتضايق جدًّا ممن يلوكون الوهم

كأنه القات. أنت أذكى من أن تستعمل مصطلحات كهذه، أو تضع قناعًا على ألعاب الهرمونات والغرائز.

لا يعرف ما يقوله لها. هو بالفعل يحب أن يكون بقربها وأن يشم أنفاسها. لكن ثقافتها لعبت دورًا سخيفًا. لم تعد تملك مشاعر الأنثى ولم تعد تسمح لنفسها بأن تفرح أو تحزن أو تنتشي.

كيف يبدو وجهك؟ ذكرى خابية كأنها شمعة توهجت ثم زالت. شعر قصير ربما.. ملامح فتى مراهق وسيم ربما.. عينان ساحرتان.. ربما.

لقد تلاشى وجودها وتبخرت كل الحواس ما عدا حاسة اللمس.

مرت أعوام كثيرة.. كثيرة.. لا بد أنهما قضيا معًا نحو عشرين عامًا، لكنهما لم يقتربا أكثر من اللازم ولم يبتعدا أكثر من اللازم. في الماضي ـ أيام النور ـ كان هناك شيء يدعى بؤرة العدسة، عندها تغدو الصورة حادة واضحة كأفضل ما يكون. تقدم ملليمترًا أو تراجع ملليمترًا ولسوف تتشوه الصورة وتتلف. هكذا كانا يبقيان علاقتهما في أفضل وضع ممكن. لن نبتعد ولن نقترب.

نجوان الآن تقترب من الأربعين. لم تعد شابة، وهو يتذكر وجهها بشكل ضبابي من الماضي. شعرها القصير والجينز. نعم ما زال شعرها قصيرًا. وما زالت تلبس الجينز. هذه أشياء يمكن أن تعرفها باللمس، وظل وجهها كما هو، وإن غزت بعض التجاعيد وجهها. لم يكن هناك

خطر أن توجد أسرة، فهي قد استهلكت بويضات مبيضيها وانقطعت زائرتها الشهرية تقريبًا.

* * *

كانت نجوان تمنحه الكثير، لكنه لم يستطع الخلاص من قبضة نرمين الصارمة حول روحه. نرمين ممرضة عرفها في الظلام منذ أعوام، ولا يدري كيف وجد أنها تقوده من يده نحو بيتها، والتحمت الغريزتان. وسالت الهرمونات أنهارًا لتغرق كل شيء. هناك نسجت شباكها حوله. المرأة العنكبوت البضة الناعمة التي زعمت أنها نرمين. كانت تكذب بالتأكيد.. لا مشكلة.. لا معنى للحقيقة عندما تعجز عن رؤية أصابعك نفسها. هو كذلك كذب وقال إنه مهندس يدعى باسم.

يعرف أنها تعرف أنه يكذب.

لكنه كان يقضي معها وقتًا لا بأس به. الذقن المدبب الشبيه بخنجر ورائحة أنفاسها. لم يكن يملك مشاكل ضميرية بصدد نجوان. لقد عرض عليها الزواج مرارًا. ما دامت مصرة على الاستقلال فلتقبل نتائجه إذن. لنقل إنه متزوج من اثنتين من دون زواج حقيقي. واحدة لعقله وواحدة لجسده.

لم يحكِ عن هذه العلاقة إلا لرامي، وقد راقت القصة لرامي جدًّا، وضحك كثيرًا على فكرة العاشقين اللذين ينتحل كل منهما شخصية زائفة. تُرى مَن هي نرمين هذه؟ عاهرة مسلية بحق. ومَن

أهلها؟ لا أحد يعرف. لكن رامي وعده بألا يخبر نجوان بشيء. هي لن تهتم لكنه يفضل ألا يخبرها. هذا ليس سرًّا لكنه سيعامله كذلك.

* * *

جاء المنشور المسموع المخيف الذي يتحدث عن القومندان.

كان هذا بالضبط هو الوسط المناسب لنمو ثورية ماهر ونجوان.. كما أن البكتيريا اللاهوائية تنتعش جدًّا حيث يقل الأكسجين ويزدهر ثاني أكسيد الكربون. ماهر الثائر بلا قضية وجد قضية ممتازة، لكنه لم يعرف كيف يبدأ. لم يجد ثغرة يخترقها إلى الثورة. الظلام الدامس المحيط به خنقه، فلم يعرف أين الفرجة التي تقود للنور.

لكن القضية صارت مكتملة الأركان عادلة.

قالت له نجوان:

ـ سواء كان هناك قومندان أم لا، فنحن نحيا حياتنا. لن يزول الظلام ولن نشعر بالفارق. ما جدوى أن تقاوم قوة لا تؤذيك؟ كأنك تحارب نجمًا في السماء.

كان قد اكتسب درجة معينة من البارانويا، مما جعله يتوقع دومًا أن هناك ألف بصاص وألف رجل شرطة يحيطون به في هذه اللحظة، لذا قال لها همسًا:

ـ أن يملك أحدهم مزية الإبصار.. أن يرى.. أن يراقبنا.. أن يظفر

بالنور بينما نحن في ظلام مدلهم. هذه هي فكرتي عن الظلم وهذه هي فكرتي عن الثورة.

ـ ولو ثرت فمن أين تبدأ؟

ـ لا أدري.. لكني بحاجة إلى أن أرى.. أرى ولو للحظة.

في ممر الفئران أنت بحاجة إلى وهج نور عابر يجعلك تدرك مكانك.

٥

كان هذا هو الوقت الذي تعرَّف فيه ماهر إلى مجموعة المكفوفين. أي الذين كانوا كذلك قبل النيزك.

كان ماهر ورامي ذاهبين إلى أحد المتاجر الكبرى. المتاجر الغارقة في الظلام حيث يكون عليك أن تتحسس البضاعة وتحاول تصور شكلها. وبالطبع لم يكن هناك مصعد.. تسلقا درجات السلم وهما يتحسسان الدرابزين ويلهثان. أعتقد أنهما صعدا خمسة طوابق. تذكر رامي أن المتجر كان في الطابق السادس على الأرجح. واصلا التقدم.

وفجأة شعر ماهر بيد صارمة تمسك بمعصمه.

صاح محتجًا في الظلام، لكن جاءه صوت هادئ يقول:

ـ دع نفسك لي.. لن تسقط.

ثم وجد يدًا أخرى تمسك بمعصمه وتقوده إلى درج هابط. فقال بصوت كالبكاء:

ـ ماذا هنالك؟

ـ لقد تهدم الدرج في هذا الجزء.. لا يمكنك الصعود. كدت تنزلق وتسقط مع صاحبك.

قال رامي في الظلام:

ـ وأنت؟ كيف ترى؟

قال الصوت الهادئ:

ـ أرى بوضوح.. صدقني.

ثم أضاف بلهجة بسيطة:

ـ لأنني كفيف!

* * *

تلك كانت بداية صداقة ماهر مع مجموعة المكفوفين تلك، ومنهم صبري. كما قلنا، ففي عالم مظلم تمامًا يتمتع المكفوف بالسمع المرهف وحاسة التوجه وقدرة خارقة على اللمس.. حتى حاسة الشم عنده تكون حادة كنصل سكين. في مجتمع كهذا لا يفتقر الكفيف لشيء، بل إنه يغدو أقوى من الفئران المتخبطة في الممر، والتي اعتادت النور فضاعت تمامًا عندما اختفى. الخُلدان اعتادت الظلام لذا تزحف في أعماق الأرض ولا تضل أبدًا.

بشكل عام كان صبري يعرف جيدًا أين هو ويمكنه الحكم

على إحداثيات المكان وأبعاده وعدد الموجودين فيه. ولقد تم اللقاء الأول في بيت ماهر. هناك كانت نجوان وصبري وفتى وفتاة لا أذكر اسميهما، وكان هناك اثنان من الذين ولدوا مكفوفين. هذا اللقاء هو البذرة الأولى لعمل أحمق.. عمل قد يتطور ويورق.. بعد أعوام سوف يُقال إن هذه لحظة ميلاد الثورة المباركة، أو هي لحظة الخيانة التي سيدفعون حياتهم ثمنًا لها. لا أحد يدري، فالتاريخ يكتبه المنتصرون دومًا. بالطبع لنا أن نتخيل أن رامي لم يكن بينهم، فهو لم يعد يبالي بشيء ولا يأمل في شيء، فلتنتهِ الأيام بسرعة حتى نستريح في قبورنا.

قال ماهر لرفاقه:

ـ أعتقد أننا جميعًا هنا لأننا نحمل درجة أو أخرى من التمرد.

الفتى تدخل بصوت خفيض وقال في تردد:

ـ لا أدري ما المشكلة.. القومندان ليس هو مصدر الظلام. القضية أعقد من هذا. القومندان مجرد كيان يحاول أن يستفيد من هذا الوضع.

ـ إنه يرى ونحن لا.. ينعم بالنور ونحن لا.. نعيش كالخفافيش ويعيش هو كالنسور.

ـ لكن صبري ورفاقه لا يجدون في هذا مشكلة.

قال صبري في ملل:

ـ لا أعرف ما يعتقده رفاقي، لكني منذ سمعت اسم القومندان هذا وأنا أشعر بقيود تكبلني. أنا لست حرًّا حتى في الظلام الذي أمضي فيه. أفتقر للشعور بالأمان والحرية.

نجوان كانت أول من ألقى السؤال. لا بد أن عينيها كانتا تلمعان في الظلام. لم يرَ أحد شيئًا على كل حال:

ـ وحتى لو رفضنا هذا فما جدوى الرفض؟ ما الذي بوسعنا أن نفعله؟ الأمر أقرب لسيطرة كونية لا راد لها. إنه القدر.

ساد الصمت مع صوت اللهاث ثم قال ماهر:

ـ يجب أن نجد ثغرة.. لا بد أن هناك آخرين في العالم مثلنا... لسنا الحالمين الوحيدين.. لسنا الثائرين الوحيدين.

قال صبري بصوت كالفحيح:

ـ لحظة.

ثم توتر كقط. سمع ماهر صوتًا يشبه الجنزير.. ثم سمع صوته وهو يشق الهواء.. لم يفهم ما يحدث.

سمع صوت الشيء المعدني يضرب شيئًا مكتومًا طريًّا.. وصاح صبري في الظلام:

ـ ساعداني يا رفيقيَّ! إنه يحاول الهرب.

ثم سمع ماهر صوت ركلات وصوت أنين.. صوت لهاث.. صوت

شهقات. كانت تدور ملحمة هنا لكنه لا يعرف موضوعها ولا يملك أدنى تصور عن المشهد. فقط كان المكفوفون ذوو البصيرة الحادة يعرفون ما يقومون به.

وعندما انتهى الصراع كان صبري يلهث.. وساد صمت رهيب.

ـ ماذا هنالك؟

ـ شعرنا بحركة من حولنا.. هذا المتسلل يعمل مع الشرطة، وكان يراقبنا خلسة، لكنه لم يحبس أنفاسه بقدر كافٍ.

ـ يراقبنا؟

شعر ماهر بشيء يوضع في كفيه.. كان هذا الشيء أقرب إلى نظارة ذات عدسات سميكة. وسمع صبري يقول:

ـ طوحت بالجنزير عشوائيًّا في كل الاتجاهات التي سمعت الصوت منها، وكان من حسن حظي أن ارتطم به.. عندما سقط أرضًا أجهزنا عليه.

قال ماهر وهو يتحسس النظارة في إعزاز:

ـ نظارة للرؤية في الظلام.. الورقة الرابحة في أيديهم. كمن يملك مسدسًا وسط مستعمرة من العراة. كان هذا يضعنا تحت رحمتهم بالكامل.

ـ لا قيمة لهذه معنا، لكنها ستحدث معكم فارقًا هائلًا.

وقالت نجوان:

ـ الرؤية! نسيت هذا اللفظ منذ زمن.

كانت هذه نقطة البداية للخروج من ممر الفئران.. أن تخترق الظلام المحيط بك.

النورانيون

١

من العسير بالفعل أن تتخلص من جثة وأنت لا ترى، لكن صبري ورفاقه يقدرون على عمل ذلك. عندما تضع العوينات يمكنك أن تجر الجثة إلى النيل وتربط فيها حجرًا.. لن يعرف الناس جميعًا أنك تخلصت من جثة، هذا طبعًا ما لم يرك رجل شرطة يضع نفس العوينات.

وضع ماهر النظارة على عينيه وشهق.. كان قد نسي أن هناك نورًا وأن الناس لهم أبعاد أخرى غير صوتهم وملمسهم. شعر بأنه يترنح. لقد أسكره الضوء، برغم أن الرؤية كانت خضراء تمامًا، مجردة من اللون تقريبًا.

على الأرض يرقد البصاص بلا حراك وقد تحول لعجين. من فمه يخرج سائل أخضر.. على الأرجح هو دم أحمر جعلته العوينات أخضر، ما لم يكن كائنًا فضائيًّا. وشعر ماهر بآلام قرحته تستيقظ.. القرحة التي لا تتركه في حاله أبدًا.

في عالم من المكفوفين سوف يستغرق الأمر دهرًا إلى أن يجدوا الجثة، ودهرًا إلى أن يعرفوا صاحبها، ودهرًا إلى أن يشكوا في الفاعل.. في هذا الوقت ستكون الأسماك قد قامت باللازم.

هذا هو صبري.. هكذا يبدو إذن.. وهذه هي نجوان.. لقد تقدمت في العمر لكنها ما زالت تحمل ذات الملامح الخالية من الأنوثة، ولكن هذا ساحر في حد ذاته.. شاب معظم شعرها.. تجاعيد في كل موضع من هذا الوجه النقي.

قالت له:

ـ كيف أبدو؟

قال صادقًا:

ـ كما كنت دائمًا.. لكني فقدت القدرة على تمييز الجمال من القبح. لم أدرب هذه الحاسة منذ دهر. كنت أراك ساحرة فيما مضى فلا بد أنك ما زلت كذلك.

هنا تدخل صبري:

ـ نحن لم نظفر بهذه كي نتمتع بالنظر.. بل لنستخدم النظر.. علينا أن نعرف ما نفعله.

قال ماهر:

ـ أعرف من سينضم لنا.

* * *

هكذا مضى ماهر يبشر بالنور والثورة. كان حذرًا وكان يعرف أن الخنوع استبد بالنفوس وجعل الخيانة فعلًا محببًا، لذا كان ينتقي الأشخاص المناسبين.

لماذا فكر في رامي؟ رامي الخامل الذي لا يمكن إشعال روحه بأي طريقة كانت. كان يثق فيه على الأقل، وقد طالت الرحلة معه وعرفه لفترة طويلة. لن يشي به حتى إن لم ينضم لهم. رقم آخر يضاف للصحبة.

هكذا طلب لقاء صاحبه العتيد.

وفي التاسعة مساء وقف في بيته وقد وضع العوينات ينتظر.

لا معنى بالطبع لليل ولا النهار في ذلك العالم، لكن الحاجة إلى تقسيم اليوم إلى ساعات قديمة جدًّا لدى الإنسان. وقد شاعت الساعات الناطقة بينهم، كما أن هناك ساعات تعتمد على أن يتحسسها المرء بأنامله ليعرف موضع العقارب. كلها تعمل بالزنبرك طبعًا.

انفتح الباب وظهر رامي الذي لا يرى. يتحسس الموجودات شاخصًا بعينيه لأعلى، وسأل بصوت مبحوح:

ـ ماهر؟

شعر بيد صاحبه تلمسه.. نعم هي يد ماهر قطعًا. لقد صار اللمس يميز الأشخاص أكثر من الوجوه ذاتها. شعر في كفه بعلبة عصير.

ـ طلبتك كي أحدثك عن الظلام.. الظلام الذي خيل لنا أنه قدرنا. لقد استلبونا النور واحتكروا البصر.. تاركين لنا الظلام والبصيرة.

ـ إنه حق القوة.. لا أحد يقدر على مواجهة القومندان.

ـ نحن قلة.. لكننا نعرف كيف نجد بعضنا.

شعر رامي بأنه يرى ـ بل يسمع ـ أحد أفلام الماضي التي تدور حول ثورة يوليو. كأن ماهر يقوده إلى الانضمام لتنظيم سري. كان ماهر يتكلم بينما رامي لا يعي حرفًا.. لا بد أنه يهذي.

ـ نحن نطلق على أنفسنا اسم «النورانيون» أو «الضوئيون».. هؤلاء الذين يؤمنون بحق الجميع في الضوء. الضوء ليس حرامًا أو جريمة فيما عدا أنه يضعف من سيطرة ذلك الطاغية. هناك ضوئيون في اليابان وفي ألمانيا وإيطاليا والسودان وتنزانيا والهند.. في كل مكان من الأرض. مهمتنا الحالية هي أن نجد بعضنا. بعد هذا ستأتي اللحظة التي ننتزع فيها حقنا في الحياة. لقد استلبنا النيزك ضوء الشمس.. فلن نترك ذلك القومندان يسلبنا شيئًا آخر.

ـ ولكن كيف؟ لا يمكننا الحركة في هذا الظلام الدامس.

ـ لدينا ورقة رابحة. بل عدة أوراق.

لم يدرِ رامي إلا وجهاز ثقيل يوضع على رأسه.. كأنها خوذة تتصل بأسلاك. كانت الصدمة قوية، وكاد يصرخ من فرط النشوة. تذكر لحظة البلوغ الأولى في مراهقته عندما اكتشف شيئًا اسمه النشوة.

لقد رأى! لقد انهزم الظلام.

للمرة الأولى منذ أعوام لا حصر لها يرى.

كانت الصورة واضحة نقية، وإن اكتسبت صبغة خضراء مرعبة. إنه يرى.. بالفعل يرى الشقة ويرى وجه صديقه الذي لم يره منذ أعوام.. يرى المنضدة الصغيرة وفوقها علبة العصير.. ويدرك أن صديقه كان مبصرًا فصار كفيفًا.

رباه! ما أثمن الضوء! وما أروع التفاصيل التي نسيناها في الظلام! وأدرك أن البلل الذي يبلل وجهه هو دموع. كان الأمر أقوى منه.

٢

أن تعيد استكشاف الحياة.

أن ترى الشوارع للمرة الأولى منذ عقود، وأن تكتسي الأصوات التي كانت تحتشد من حولك بجلد ولحم. أن يكسب كل صوت وجهًا. أن ترى العشب الذي تطأه قدماك، وأن ترى خشونة الجدار التي تتلمسها. شعور غريب أن ترى الخشونة والنعومة، لكنها الحقيقة. أن ترى السماء. أن ترى وجهك في زجاج منسي منذ أيام النور. لقد نسيت وجهك. أن ترى كل الإحداثيات الغامضة التي رسمتها في ذهنك بحاسة اللمس واعتمادًا على الصدى ورنين الصوت. اليوم تدرك الأبعاد حقًّا.

صحيح أنك ترى العالم أخضر ككل صور نظارات الرؤية الليلية، وترى عيون رفقائك تتوهج بذلك البريق المخيف. لكنك تمتلك قوة مذهلة.

في البيت تتفحص في شوق ونهم وجهي ابنك وفاتن. لا تجرؤ

على إخبارهما أنك ترى. ما زالت فاتن جميلة برغم خصلات الشيب التي اشتعلت في مواضع عدة من رأسها. ضياء مراهق بكل ما في الكلمة من معانٍ، بتلك الملامح الحيوانية الوقحة والشفتين الغليظتين. يكلمانك معتقدين أنك في الظلام مثلهما، وهذا يمنحك الشعور بالسطوة والقوة، لكنك كذلك تشفق عليهما. لو لم تعِد ماهر لكان بوسعك أن تمنحهما النظارة. لكم تمنى لو استطاع أن يضع النظارة على عينَي ابنه ليعلمه معنى الرؤية.. معنى النظر. لسوف تكون الصدمة مرعبة.

لن أتخلى عن النظر.

فليذهب العالم للجحيم.. أريد أن أرى.

فلتذهب المصلحة العامة حيث ألقت.. أريد أن أرى.

وعندما جاءه ماهر بعد أيام يطلب النظارة منه فإنه رفض. ماهر لا يرى. ماهر يطالب بما هو غير معقول. لن أنتزع عيني بعدما وجدتها، وأعيدها لك كساحرات الجبل اللاتي كن يتقاسمن عينًا واحدة.

قال ماهر في ثبات:

ـ هذه النظارة ليست لك. أنا منحتها لك أيامًا لترتوي من البصر، لكني قلت إنني سأستعيدها.

ـ لقد انتهى عصر ما هو لك وما هو لي.. إن ما أمتلكه هو لي.

مد ماهر يده نحو نظارته.. لكن فات أوان ذلك. أنت في الظلام

يا ماهر. تملص منه ثم دفعه بعيدًا فترنح وكاد يسقط. وقع فوق الأريكة وراح يحرك ذراعيه بحركات مثيرة للشفقة كأنه سلحفاة مقلوبة.

كان رامي قد وقع في غرام النور. لقد وقع في حبائل البصر ولن يعود لما كان أبدًا. يعرف أن النورانيين أو الضوئيين يحاولون زيادة حصيلتهم من هذه النظارات. يهاجمون رجال الشرطة والبصاصين ويستلبونهم نظاراتهم، وقد قرر أن يستولي على نظارة أو اثنتين ربما لفاتن وابنه.

كان هذا سهلًا. ضع النظارة على عينيك وتوارَ في مدخل أحد المتاجر أو على باب بناية. سوف يمر بعض الوقت، ثم ترى واحدًا من هؤلاء. تعرفه على الفور من ثيابه السوداء. لا بد لهؤلاء القوم من أن يميزوا بعضهم بلون الثياب، لأنهم يعلمون أن هذه النظارات مع الثوار كذلك.

إن البصاصين في كل مكان. يتسللون لكل موضع. حتى غرف تبديل الثياب النسائية والحمامات. يتسللون هناك ليراقبوا كل شيء متظاهرين بأن هذا من صميم عملهم. الحقيقة أن هذا عالم بلا خصوصية على الإطلاق. حلم المراهقة المثير يا رامي أن تصير خفيًّا وتتسلل لحمام جارتكم الحسناء. لقد صار هذا ممكنًا متى أردت، لكنك قد نضجت أو شخت ولم تعد تطيق الفكرة أصلًا.

عندما يمر البصاص من أمامك ولا يلاحظك، اخرج من مكمنك فورًا واهوِ على مؤخرة رأسه بقضيب حديدي ثقيل أو بلطة أو قالب طوب وضع في جورب، فلسوف يسقط كجدار منهار. عندها انتزع

نظارته فورًا وضعها في جيبك. عندما تبتعد فلتكن حريصًا على أن تنزع نظارتك. يجب أن تكون من المكفوفين إذا رآك أحدهم.

هكذا كان رامي يملك ثلاث نظارات.. هذه ومعها نظارتان سرقهما من البصاصين.

قال ماهر وهو يمسح شفتيه بكمه:

ـ أنت لا تفهم. النظارات التي سرقتها حديثة. هل ترى فيها قطعة نحاسية تشبه هوائي المذياع تخرج من العدسة اليمنى؟

فكر رامي للحظة ثم قال:

ـ نعم.

ـ هذا هو الطراز الحديث مضاد للفقد. إنه يرسل إشارة رائحة بمكانه يتلقاها رجال الشرطة وتعرفها كلابهم، وهي تقنية هدفها ألا تفقد نظارة واحدة. معنى هذا أن هذه النظارة ستخبر رجال الشرطة بمكانك.

قال رامي مغتاظًا:

ـ برغم هذا أنت تملك واحدة.. تلك التي ألبسها الآن.

ـ هذه النظارة من الطراز العتيق حينما لم تكن هذه الإشارات قد اخترعت بعد.. لهذا أريدها. أما لو كنت مكانك فأنا أنصحك بالخلاص من النظارات الحديثة التي سرقتها.. ارمها في أول زقاق تقابله. سوف تدمرك. سوف تقودك إلى الموت، ولسوف

تسمع نباح الكلاب وهي آتية كي تمزقك أو تجرك جرًّا إلى منصة الإعدام.

تصلب رامي وبدا له الكلام منطقيًّا.. وعلى الأرجح صادقًا.

يجب أن يتخلص من النظارات التي سرقها، لكنه لن يعيد النظارة العتيقة الآمنة مهما كان الثمن. قال لماهر ضاغطًا على كلماته:

ـ أنت لن تنتزع مني هذه.. إذا أردت نظارات أخرى، فأنا على يقين من أن لديكم المزيد.

ـ هاتان عيناي.. وما من أحد يعيرك عينيه أبدًا. كل مَن يملك عوينات احتفظ بها. كنت أنا الأحمق الوحيد. أردت أن أقاسمك نعمة الضياء.

ساد الصمت. أنت خائن يا رامي. أنت تخليت عن صديقك واستلبته عينيه. لكنك كذلك ضحية بائسة، ومن حقك ألا تلتزم بالخلق القويم. الغريق الذي يتمسك بساقيك لا يبتغي إغراقك أو أن ينعم بموته معك. فقط يحاول ألا يهوي للقاع.

كان ماهر يمشي نحو الباب وهو يترنح متلمسًا قطع الأثاث. ثم قال وهو يحملق في الظلام:

ـ عندما تتعب من هذه الهبة يا صاحبي، وعندما تشبع من رؤية العالم، فلتتذكر أن تعيد لي هذه النظارة. لا تكن وغدًا أنانيًّا وتتخلص منها.

ـ أعدك بهذا.

كان يعرف أن ظمأه للعالم لن يرتوي أبدًا. لن يموت قبل أن يلقي نظرة أخيرة على آخر قطرة دم تسيل منه، أو آخر برغوث يتواثب على وسادته، أو آخر فأر يزحف في ركن الغرفة.

٣

أغنية نجوان

في نافذة روحي ينتظر ظمأ يتلظى للنور

شوق يتأجج للحكمة..

أتشمم ضوءًا خجولًا يتسرب من ثقب في الحائط.

ببقاياه ألحق

أتمسك بآخر خيط منه، لكنه يشهق ويحتضر بين أناملي..

يتسرب من بين الأصابع..

قد مات النور وفارقني..

لذا ـ ترون ـ أقف وحدي.. أنعيه وأرتجف وأشعر باليتم.

ابنة الضوء أنا. عاشقة النور أنا. جارية في بلاط الشمس أنا.

لهذا لن أنسى. لن أنسى أبي المتوهج أبدًا. لن أنسى حبيبي المتألق..

لن أنسى الحب الأول والقبلة الأولى، ووهج عينَي أول قط امتلكته،

ولون أول زهرة قطفتها

عندما كان النور صديقي.. لما كان بوسعي

أن أتمرد.. أن أحلم.. أن أعرف أكثر

لكن الغد المذعور يقابلني خلف الأشجار المتشابكة

وبالسر يهمس في أذني..

ينتزع مني الوعود ألا أخبر أحدًا.. حتى وأنا أموت..

أيها الغد: أنا بوعدي بررت..

جاء دورك.

من قصائد نجوان فريد النثرية

* * *

في الأيام التالية شعر رامي بأنه رائد فضاء يرتاد كوكبًا مجهولًا. كل شيء كان غريبًا يختلف عن الصورة التي كونها باللمس والأصوات.

أولًا لاحظ أن القذارة تعم كل شيء، فلا أحد ينظف أو يتأنق. فقط هناك تنظيف من أجل الروائح لا أكثر. لو كنت متسخًا بلا رائحة فلا مشكلة. إنه القبول الاجتماعي.

عرف كذلك أن تغيرات هائلة قد طرأت على البلاد لكن أحدًا لم يرها.

لقد سرقت تماثيل فرعونية مهمة جدًّا، ووضعت مكانها هياكل تقنع من يتحسس. «متحف محمد محمود خليل» بلا لوحة واحدة لكن هناك سطوحًا خشنة توحي لك بأن هذه لوحات. بعض الناس

لا يتقاضون راتبًا ولكن يتقاضون أوراقًا بيضاء تم ثنيها بشكل يوحي بأنها مئات الجنيهات.

عند بعض الجزارين وجد كلابًا مسلوخة كاملة، لكن لا أحد يعرف هذا سوى الجزار نفسه. هناك بعض الأثرياء يملكون تلك النظارات الخاصة التي تتيح لهم نعمة البصر، لكنهم ينكرون هذا طيلة الوقت.. وقد أتاحت لهم هذه المزية سبقًا هائلًا على الفقراء.. دعك من شبابهم الأثرياء الذين يتسللون بهذه النظارات إلى غرف الفتيات المكفوفات أو أماكن استبدال الثياب.

الحقيقة أنه كاد يفضح نفسه أكثر من مرة، لأنه حسب أن مَن يلبس هذه النظارات هو بالضرورة ضوئي مثله.. ثم أدرك أن الضوئيين لا يمشون في الشوارع علانية بنظاراتهم.. دعك من أن نظاراتهم عتيقة الطراز دائمًا لا يمكن اقتفاء أثرها. ثمة صفة مهمة أيضًا وتستحق أن نذكرها هنا: إنهم متأنقون يعنون بثيابهم وشعرهم. كل الناس لا تعرف كيف تبدو من الخارج لكن هؤلاء يعرفون.

البصاصون ورجال الشرطة يلبسون الأسود كما قلنا ليعرفوا بعضهم. لو كنت تضع نظارة الرؤية الليلية وأنت لا تلبس السواد، فعلى الأرجح سيعتقلونك أو يطلقون عليك الرصاص. عندما تضع النظارات كن حذرًا. قف خلف جدار وتلصص.

وقد جازف ذات مرة وقدم نفسه لواحد من هؤلاء.. الذين يضعون العوينات ولا يلبسون السواد.

الرجل الذي قدم نفسه له كان يقف جوار قضيب السكة الحديدية.. السكة الحديدية التي لم تعرف قطارات منذ دهور.

كان الرجل نحيلًا فارع الطول في الخمسين من عمره.. متأنقًا مصفف الشعر نظيفًا.. وكان يعد الفلنكات التي تمت سرقتها أو انتزعت من مكانها.

دنا منه رامي فأجفل الرجل..

بدا مظهرهما ككائنين فضائيين يتلاقيان بهذه الخوذات الغريبة التي تجعل رأسيهما أقرب إلى رؤوس النمل.

قال له مهدئًا من روعه:

ـ لا تقلق.. أنا مثلك.. لست منهم.. أنا منكم.

نظر له الرجل في تردد ثم قال:

ـ مرحبًا بك.. أنا صرت ضوئيًّا منذ عام.

ـ وأنا منذ عامين.

ـ أنا محامٍ.

ـ وأنا جيولوجي.. طبعًا لا عمل لي.. أحيانًا أكسب رزقي إذ أراقب اللحوم عن طريق شمها وتحسسها.

وصمتا بعض الوقت وظلا يتبادلان النظرات ثم تبادلا العناوين وافترقا.

محادثة بليغة جدًّا.

كان هذا أعمق تفاعل مع الضوئيين مر به رامي.. وقد ملأه رضا.

يومًا ما سوف نلتقي.. يومًا ما سوف نعرف ما ينبغي عمله.

إنه الآن يعرف عشرة ضوئيين على الأقل.

٤

رامي مثقل بسر رهيب.

رامي يعرف كل الضوئيين، ويتابع أخبار إعدام بعضهم في الصحف المنشورة بحروف «برايل». يعرف أنهم ليسوا حمقى.. ليسوا أقل ذكاء منه.. لقد سقطوا في يد الشرطة ليس لأنهم أغبياء مهملون وإنما لأن أجلهم حان.. لا شيء يحميه ولا شيء يمنع من أن يكون هو القادم.. إنه القدر. أنت تأتي للعالم حاملًا لحظة إعدامك في خلاياك. الأمر لا يزيد على أن يراك بصاص وأنت تضع العوينات.

لكنه كان مستعدًا للموت مع نعمة الضوء.. العالم الآخر لن يكون مظلمًا لهذا الحد.

هكذا كان يقضي الوقت يجوب الشوارع. أحيانًا يحمل النظارات وأحيانًا لا يحملها.

فقط هو يراقب كل شيء ويحاول معرفة مَن يمكن أن يكون من

الضوئيين مثله. كانت هناك منشورات بحروف «برايل» وقعت في يده ذات مرة. المنشورات تدعو الشباب إلى أن يكونوا من الضوئيين.. أن يكون لهم الحق في استعمال العينين.. لم يعرف قط من طبع هذه الأشياء، لكنه تحمس لدى رؤيتها.. أعني لدى تحسسها.

* * *

اللحظة الأكثر درامية، كانت عندما رأى الشرقاوي أول مرة.

كان المشهد عجيبًا، فالقوم في هذا العالم يبدون متشابهين بنفس الذقن غير الحليق والشعر المنكوش والقذارة، لكن هذا الرجل بدا له أنيقًا حليقًا. كان يمشي بتلك الطريقة المرتبكة المثيرة للشفقة لواحد لم يعتد الظلام بعد، بينما الناس من حوله يمشون في ثقة نسبية. كل شيء يوحي بـأنه لا ينتمي لهذا العالم. عملاق في اليابان.. أبيض في «بروكلين».. شيء من هذا القبيل.

دنا من الرجل وتأمله. كان في الأربعين من العمر، نحيلًا جدًّا، بادي التوتر والعصبية. من عنقه تبرز حنجرة قلقة لا تكف عن التواثب. كان يصيح في رعب:

ـ الخلاص! الغوث!

دنا منه رامي وبقبضة حازمة أمسك بذراعه. وسأله عن المكان الذي يرغب في الذهاب إليه. قال الرجل:

ـ الأماكن كلها تتساوى.. فقط أخرجني من هنا.

جذبه جذبًا بعيدًا عن الزحام. لا يحدث كل يوم أن تقابل رجلًا يرغب في الذهاب لمكان مـ . أي مكان. ثمة نغمة فلسفية محببة في هذا. تركه جوار جدار ليعتمد على نفسه لكنه قرر أن يراقبه.

«هو.. على الأرجح هو».

هذا الرجل ليس من عالمنا. كلمات دكتور مصطفى على فراش الموت كانت دقيقة.

كان الرجل يبحث عن مستشفى ويسأل المارة. الأمر واضح. هو حديث عهد بالظلام ويعتقد أن مرضًا ألم بعينيه. وقف رامي أمام المستشفى مفكرًا ما إذا كان عليه أن ينصرف، أم يراقب هذا التعس الذي لا يفهم قواعد اللعبة. من أين جاء؟

بعد نصف ساعة رآه يخرج بذات الارتباك والخطوة غير الواثقة. يتوقف جوار عملية إعدام بالحمض من التي تمارس كثيرًا في الفترة الأخيرة.. يحبون الإعدام بالحمض لأن الضحية تصرخ كثيرًا، وفي هذا عبرة للمعتبرين. ابتعد مذعورًا ومن الواضح أن الصراخ أفقده جنانه.

تحرك حتى صار بقربه فاصطدم به من جديد.. كان يسأله عن فندق.

ما زالت أذناه تفتقران إلى الحساسية.. لم يلحظ أن الصوت ذاته تكرر مرتين في ساعة. سأل عن فندق فدله على واحد، وراح يراقبه في شفقة وهو يتحسس طريقه.

«سوف أكون هنا غدًا في الصباح. أريد معرفة كل شيء عن هذا الغريب».

في الصباح كان رامي يمشي في شوارع العاصمة عندما حملته قدماه إلى ميدان التحرير في ذلك اليوم.. كان هذا من الأيام القليلة التي جرؤ فيها على وضع النظارة كل هذه المسافة.. إنه قريب من الفندق الذي وصفه للغريب أمس.

فجأة أدرك أن هناك حركة غير عادية.

الكلاب قد خرجت. إنها تنبح باستمرار، وهو يعرف هذا الطراز من العمليات الأمنية. السيارات تندفع في الشوارع.. السيارات والكلاب لا تخرج إلا لدى وجود جريمة شنعاء تتعلق بالنار أو النور.. هذه هي الأسباب الأهم التي تدفع هذه القوى للتحرك. هكذا نظر حوله في عصبية.. يجب أن يكون حذرًا.. من الوارد جدًّا أن يراه رجال الشرطة الآن.. سوف يطلقون الرصاص ثم يتفاهمون.. عرف على الفور ما حدث.. عرف أن الغريب كان يحمل مصدرًا للنور.

استطاع أن يرى ذلك البائس يتحسس الجدران مذعورًا. يمضي ولا يعرف أنه يقترب من رجل شرطة يضع نظارة الرؤية. لا شك أن رجل الشرطة وجده غريبًا مريبًا فاستوقفه.

ـ أنت...

النداء الحازم، وظهره له.. النداء الحازم وهو يدنو منه.. النداء

الحازم وهو يخرج سلاحه الدائم من جيب سترته: الجورب المحشو بقالب طوب، فهوى على رأس رجل الشرطة.. تكوم أرضًا كبالون مثقوب.

ثمة بائع دنا من الغريب وهمس في أذنه بسرعة:

ـ اسمع.. لو كنت أنت من يقتفون أثره فعليك أن تذوب.

ـ لكني لست...

قال البائع في نفاد صبر:

ـ هلا كففت عن التذاكي؟ إن سيارة الشرطة قادمة.

مد يده داخل الكشك وأخرج كومة من ثياب متسخة.. السترة والسروال.. لا بد أنها ثياب كانت تنتظر الغسيل، وطلب من الغريب أن يلبسها بدلًا منه ليتقي الكلاب. كان هناك دلو ماء ممتلئ. حمل الدلو وسكبه على الغريب ليبرد حرارة جسمه قليلًا. هذا سوف يؤخر عملية البحث عنه. هذا البائع ليس شهمًا فحسب بل هو يفكر بشكل منطقي.. وخطر له أن الناس في بلادنا تتصرف ضد الحكومة بشكل فطري.. بالسليقة.. منذ كانوا يضللون الرادار ويحذرون بعضهم أيام النور، وحتى اليوم عندما ساد الظلام.

ـ حاول أن تبقى حيًّا بعض الوقت.

ورأى رامي الغريب يبتعد جريًا ثم يتجه إلى المتحف المصري. رآه يدخل قاعة العمارنة.

لحق به هناك.. ورأى حيرته الشديدة وهو يتحسس التماثيل. التماثيل الخادعة. ثم إن الفضول استبد به فأخرج قداحة من جيبه. قداحة ما زالت نارها تؤدي الغرض. لقد قرر أن يقامر ويضيء المكان.

النور كان مبهرًا وخيل لرامي أنه أحرق شبكيته ذاتها.

وعلى الفور استطاع الغريب أن يرى رامي بالعوينات على رأسه يراقب الموقف في فضول. عاد الظلام وسمعه يشهق ذعرًا فقال بصوت مسموع:

ـ أرى أن المتحف راق لك.. لكن أرى أن ننصرف لتناول الغداء يا كامل.

كان الغريب ذكيًّا فلم يعترض.. فهم أن رامي يحاول حمايته... رامي استخدم نفس الطريقة منذ زمن سحيق عندما كان دكتور مصطفى مع فاتن.

لقد صار الغريب مسؤوليته وعليه أن يخرجه من هنا.

ـ مرحبًا بك في بيت ضوئي من الضوئيين، أو النورانيين في تعبير آخر!

أنت منّا

١

يا مدينة الوهم

تحت الضباب الأسمر.. ضباب فجر الشتاء..

على جسر لندن تدفق جمع غفير..

لكثرته نسيت أن الموت حصد جمعًا غفيرًا

وصعدت آهات قصيرة كل حين طويل

وثبَّت كل بصره أمام خطاه..

على التل تدفق الجمع ثم هبط إلى شارع الملك «ويليام»..

هناك رأيت رجلًا أعرفه فاستوقفته صائحًا:

ـ أي «ستنسون»!

يا من كنت معي على السفائن في «ميلاي»..

هل بدأت الخضرة تنبت من الجثة التي زرعتها في حديقتك العام الماضي؟

ألا فلتطرد الكلب بعيدًا عن جنباتها

وإلا نبش بأظفاره فأخرج الجثة من جديد.

من قصيدة «الأرض الخراب»

أرض الظلام!... قرأت عنها في كتب الأساطير. لقد جربت أن أقرأ مستعملًا هذه النظارات برغم أنها ترهق البصر. أوشكت أن أرقص طربًا عندما رأيت الحروف المكتوبة.. ألا بورك في حرف اللام عندما يلتقي مع الألف في عناق ساحر كبجعة أسطورية.. ألا بورك في لفة الهاء السحرية.. ألا بورك في التقاء السين بالميم.. دعك من روعة حرف الـ«Z» المتلوي المصمم على التوائه، وكيف تفتح الـ«W» ذراعيها للسماء، بينما تفضل الـ«M» أن تزحف على الأرض.. قضيت الكثير من الليالي أطالع الكتب.. وبينها وجدت أسطورة أرض يغمرها ظلام شامل.. أرض تقع في جورجيا.. في غابات «أبخازيا».

من هذه الأرض المظلمة تسمع أصوات الناس.. أناس لم يرهم أحد من قبل ولا يعرف كيف يبدون.. يقال إنهم أحفاد ملك الفرس «سابور» الذي سجن أتباعه للأبد في هذه الأرض.. لقد ذهب إلى هذه البلاد كي يضطهد المسيحيين فدعوا الله كي ينتقم منه.. هكذا وجد أنه وأتباعه سجناء في ظلمة لا يمكن اختراقها.

هكذا عرف القدماء أرض الظلمات.

ثم يصل الإسكندر الأكبر ويرغب في اختراق هذه الظلمات أثناء بحثه عن ينبوع الخلود.. لكنه يعجز عن اختراقها بينما ينجح خادمه «أندرياس» في اجتياز الظلمات، ويشرب من نبع الخلود..

هكذا عرف القدماء أرض الظلمات.

في الأساطير الإغريقية مملكة الظلمات هي مملكة

الموتى «هيدز» التي يحكمها «بلوتو» الرهيب، وخادمه «شارون».. على الموتى كي يبلغوا هذه المملكة أن يعبروا نهر «ستيكس» الذي يصل بين عالم الأحياء وعالم الموتى.

هكذا عرف القدماء أرض الظلمات.

* * *

انتهى رامي من قصته التي حكاها في الظلام الدامس.. قصة عن ممر الفئران الضيق.

القصة بدت للشرقاوي غريبة جدًّا، أقرب للكوابيس. بدأ كل شيء بنوم وكابوس، وعلى الأرجح سوف يصحو من النوم ويشهق. بسملة الزوجة تنتظره، ولكنه لا يعرف كيف ينتهي هذا الشيء. رحلة الملاهي بدأت ولا تعرف متى تنتهي.

الظلام الكثيف يلتصق بروحه.. يلتصق بوجهه. يمكنه أن يمد يديه فينزعه كخمار أسود. يمكنه أن يتحسسه بحثًا عن ثغرة ما.

كان بحاجة إلى النور.. كان بحاجة إلى أن يستعيد قدرة شبكيته على الإبصار.

مد أنامله إلى القداحة.. و... «شلاك شليك».

على الفور عم النور المكان.. النور الذي صارت له قيمة عظمى بعد هذه القصة.. برغم أنه ليس النور الذي يصبو إليه.. إنه نور أصفر رقراق كثير الظلال.. يحتاج لنور النهار المستقر الخامل.

الأريكة.. لوحتان قذرتان على الجدار علقهما رامي قبل زفافه بيوم ونسي كل شيء عنهما. المنضدة التي ألقيت فوقها بواقي خبز وأكواب وكتب بنقوش «برايل». ستائر متسخة نصف ممزقة.. ذوق عام أقرب للرداءة، لكن لربما كان راقيًا منذ عشرين عامًا. ما يعنيك في هذا الظلام هو أن تكون الأشياء مريحة وبلا رائحة لكن لا يعنيك أن تكون جميلة.

يرى رامي للمرة الأولى من دون عوينات. لم يكن الشرقاوي أول من لاحظ أن رامي من الطراز الذي لا يتميز بشيء. وجه هو غطاء للجمجمة لا أكثر، وعينان لا تنطبعان في ذاكرتك. بعد ما تراه وينأى عنك تكتشف أنك لم تعد تذكر ملامحه مهما طالت الفترة التي عرفته فيها. يمشي بطريقة لا تعلق بالذاكرة. يضحك بطريقة لا تعلق بالذاكرة. إنه باهت لدرجة أنه نموذج مثير. وجه مليء بالتجاعيد وشعر أشيب كل خصلة فيه تحمل عامًا من الظلام.

ثم احترق إبهامه كالعادة فأطفأ القداحة.. ومن جديد عاد رامي مجرد صوت يتردد.

سيكون هناك وقت كافٍ للقلق، عندما يوشك وقود القداحة على النفاد أو تتلف تروسها أو تضيع.

ساد الظلام الكثيف من جديد، وفي الظلام تكلم رامي:

ـ من أين جئت؟

ـ لا أدري.. ربما من كابوس.

ثم تساءل في قلق:

ـ هل نحن هالكان؟ هل هذا هو العالم الآخر؟

قال رامي:

ـ ربما هو كذلك.. التشابه بين ما نحن فيه والموت قوي جدًّا، لكن قلوبنا تخفق وأنفاسنا تتردد. على قدر علمي نحن حقائق.

ثم أضاف بعد تفكير:

ـ كنت أنتظرك.

ـ تنتظرني؟!

تكلم بطريقة عجيبة كأنها نبوءات العرافين بنبي آخر الزمان.. كأن هناك كتابًا مقدسًا ذكر اسم الشرقاوي يومًا ما. لكن الشرقاوي لم يحاول أن يوجه أسئلة أكثر. سيكون هناك وقت للإجابة عن علامات الاستفهام هذه فيما بعد.

قال رامي في الظلام:

ـ لاحظ أن البصاصين في كل مكان.. وحساسية عيون البشر الحالية لا تصدق من فرط ما اعتادت الظلام.. عيون جائعة إلى النور متعطشة له.. يمكن لهذه العيون أن تشم الضوء الخافت عبر خصاص النافذة على بعد مائة متر، كما تشم سمكة القرش قطرة دماء في المحيط، أو يشم المحروم من السجائر عبق السيجارة بعد ما انطفأت بعدة ساعات. الخلاصة.. لا تعتد استخدام هذه القداحة. إنها أخطر

من أن تكون لذة عابرة.. الضوء والنار قد يساويان حياتك. تذكر كذلك أن حساسية الأنوف قد تضخمت.. رائحة الدخان تقتل. الآذان الظامئة للصوت قد تضاعفت قوتها مرارًا بدورها. يمكن بسهولة سماع عود ثقاب أو فتح قداحة من على بعد أميال. تذكر أن التخاطر صار نشطًا ويمكن للناس سماع أفكار بعضهم.. يمكن لكثيرين أن يشعروا بأفكارك من مسافة سحيقة.

تتراجع المعرفة اليقينية، لتحل مكانها معرفة تخمينية تعتمد على الأصوات.. أنت لا تعرف شيئًا عن أي شخص ما لم ترَ عينيه، بينما هنا لا عيون.. الرسالة التي تصل بالصوت ناقصة دومًا.

أردف رامي بلهجة الواثق من نفسه الذي يعرف كل شيء:

- منذ هذه اللحظة أنت ضيفي.. لا حاجة للإقامة في الفنادق ولا تحسس الطرقات ولا غش الأوراق المالية.. أنا مسؤول عنك. لكني أقترح أن...

وبدا في صوته بعض الحرج:

- تبدل هذه الثياب التي أفسدت جو داري.. الثياب التي تفوح برائحة النتن الآدمي منذ عقود.

- ليست ثيابي.. حصلت عليها من بائع صحف.

- أعرف.

ثم أردف:

ـ الاستحمام ثم تبديل الثياب.. الرحمة بأنوفنا.. بعد هذا نعرف ما ينبغي عمله.

وتثاءب في قوة.. سمع الشرقاوي الصوت ورآه في خياله يفرد ذراعيه ويتمطى. وقال:

ـ لقد توغل الليل.

ـ هل ما زلت تستعمل لفظة «ليل»؟

قال وصوته يبتعد:

ـ لم أكف عن استعمال لفظة «ليل» قط.. ما أحلم به هو أن أعود لاستعمال لفظة «نهار».

٢

هكذا في العناية المركزة بالمستشفى يحرك الشرقاوي قدميه تحت الملاءة. يده التي ثبتت فيها قناة وريدية تتحرك. الزوجة تمسك بيده وتراقب الخيوط اللزجة بين شفتيه تنفرجان، كأنهما تحاولان التحرر لقول شيء.. لقد رفعوا جهاز التنفس اليوم لأنه يتنفس بشكل تلقائي. يغمغم بكلمات لا يمكن فهمها.

ـ ألااااااااااااااااام.. هوووووووووووووور...

يمكن بشيء من الخيال أن نتصور أنه يتحدث عن الظلام والنور. لكن من يستطيع أن يخترق عالم الظلام الكثيف من حوله ليجده تائهًا في بعد آخر؟ نحن نستطيع لكن الزوجة لا تعرف شيئًا. فقط هي تدعو الله أن يموت بسرعة لتستريح.. لكي يزول هذا الجبل الثقيل عن كاهلها. إنه يحاول التحرر لكن حبلًا واحدًا يقيده على أرضنا، فلو انقطع الحبل لحلق، وعلى الأرجح لشعر بالخلاص والراحة. لماذا لا يموت الناس في اللحظة المناسبة، عندما يكون موتهم ضرورة؟

تشعر بالغبن.

* * *

في الظلام كان صوت ماهر العصبي الثائر.

في الظلام كان صوت نجوان الخشن قليلًا.

في الظلام كان صوت رامي البارد الخالي من العاطفة.

في الظلام كان آخرون.

لقد رسم الشرقاوي صورة في ذهنه لكل واحد من هؤلاء، وكسا كل صوت بلحم وعظم.. لا بد أن ماهر ملتحٍ له نفس عيني «جيفارا» الغاضبتين الثاقبتين.. لا بد أن نجوان ضخمة عارمة الأنوثة كإلهة آشورية.. لقد رأى رامي وعرف كيف يبدو وإن كان بحاجة لتجديد الذاكرة من وقت لآخر.. لكنه قدر أنه باهت مثله.

كانت تخيلاته أبعد تخيلات ممكنة عن الواقع. نحن رأينا الآخرين أيام النور وعرفنا كيف يبدون.

قالت نجوان:

ـ أنت جئت من رحم اللامكان.

وقال ماهر:

ـ كأنك وعد أو نبوءة تحققت.

وقال رامي:

- كل شيء في قدومك عجيب ساحر.

الشرقاوي كان أبعد ما يكون عن اعتقاد أنه يملك قدرات خاصة، أو يستطيع الإتيان بمعجزات أو كرامات. الإنجاز الوحيد الذي قام به هو أنه نام. لكنهم أقرب إلى الانبهار بظهوره المفاجئ. فكر ماهر بعض الوقت في أنه مدسوس عليهم، ثم استبعد هذا بعد ما عرف من رامي تخبط الشرقاوي وخرقه وضعفه في الظلام. ماذا يبتغون مني؟ رأى هذا الموقف ألف مرة في السينما، عندما ينتظر قوم قدوم غريب كأنه المهدي المنتظر، ثم يصابون بخيبة أمل لأنه لا يفقه شيئًا.

لكنه لم يدَّعِ أي شيء ولم يقدم وعودًا. فليأمل من يشاء فيما يشاء.

لقاؤه مع فاتن كان دراميًّا بعض الشيء.. حدث هذا في الليلة الأولى لقدومه.

كان يستحم كما أمره رامي. أن تتحسس الجدران في الظلام وتفتش عن الماء وتفتش عن الصابون وتفتش عن جسدك وتتحاشى الانزلاق. هل كان بطنك في هذا الموضع دائمًا؟ هذه معجزة. أمك كانت تتكلم دومًا عن استيلاء الجن على مَن يستحم في الظلام، بل إنها قالت له إن الاستحمام في الظلام، وارتداء رغيفين في القدم لدى دخول الحمام، والاستنجاء باللبن، هي الطريقة المثلى لكي تتصل بالجن. لو كان كلامها سليمًا فثلث هذا البلد من الممسوسين.

الخروج من هذا الظلام يحتاج إلى معجزة.

وفجأة سمع الصراخ.. الصراخ الشنيع الطويل.. هو لم يسمع

صوت أنثى تقتلع عيناها أو تذبح، لكنه يعرف يقينًا أنه صوت أضعف وأكثر تعقلًا من هذا.

تحسس في الظلام. لا يعرف كيف وجد قدميه في الهواء، وارتطم رأسه بأرض مبتلة. شعر بالارتجاج داخل الجمجمة ولا بد أنه فقد الشعور للحظة، ثم استجمع قواه ونهض. في الظلام يفتش عن شيء يستر به عورته. هناك جلباب ارتداه على اللحم، وهنا انزلقت قدمه من جديد ليسقط في البلل. أطلق سبة عالية.. ومن الغيظ راح يبكي. ثم حاول أن يفتش عن القداحة في ثيابه المتسخة العفنة.

الصراخ ما زال مستمرًا يشل أفكاره ويوتر أعصابه ويفشل خططه للتماسك.

باب الحمام مفتوح. لا أحد يغلق الأبواب في عالم الظلام.

خرج يتلمس طريقه في الصالة.

اصطدم بشخص ما، وقبل أن يشهق سمع صوت رامي يقول:

ـ لا تقلقن.. هذا شيء مألوف.

كانت هناك امرأة.. امرأة في مكان ما.. تشهق في الظلام وتردد:

ـ أختنق! أختنق!

رامي يكلمها في رفق ويبدو أنه يضم رأسها أو شيئًا من هذا القبيل:

ـ اهدئي.. استعيذي من الشيطان الرجيم.

جاء صوتها المكتوم:

- الشيطان الرجيم اختنق.. الشيطان الرجيم لا يستطيع الوصول لنا لأنه تعثر وفتح رأسه! سأمنح روحي للشيطان لو رأيت النور لحظة واحدة.

كانت تردد بلا توقف:

- كنت رائعة الجمال.. كانت النظرات اللزجة تلتصق بلحمي كالعلق، وكنت أشتهي أن أستحم لأزيلها. كان الدكتور مصطفى يحوم حولي كغراب.. كنت أراني في عينيه أسيرة مكبلة هشة، فكنت أرتجف خوفًا. اليوم أتحسس وجهي فأدرك أنني فقدته. لقد ضاع وجهي في الظلام.

هنا نسي الشرقاوي حذره ووعوده. وجد نفسه يمسك بالقداحة ويشعلها ويرفعها عاليًا.. «شلاك شليك»!

لقد انهزمت الظلمة!

في الضوء الواهن الشاحب يرى دائرة ضيقة من الوجه. التعبيرات درامية غير واقعية. هل كانت هناك لوحة عالمية مماثلة لـ«فيرمير»؟ لا يذكر. هذه اللحظة المقدسة.. اللحظة النادرة.. هلم ارتوِ بسرعة من كل شيء.. تشرب الموجودات قبل أن تخبو.

على الأرض كانت سيدة تدعى فاتن.. في الضوء بدا واضحًا أن اسمها فاتن. في عقدها الخامس قد شاب شعرها وانتفش، وكانت تأتي بحركات تذكرك بمرضى الصرع والزبد يخرج من شدقيها، وقد مزقت بأظفارها منبت عنقها.. كأنها في حالة هستيرية متقدمة. تتنفس

بسرعة وعمق. تتنفس في جشع. تنظر للنور كالمجنونة، وبرغم التشوه في وجهها فقد شم بقايا حسن فانٍ قديم. الوردة الذابلة التي جنت، لو كانت الورود تجن.

النور! اللهب!

رأت النور حتى بدت على وجهها ضحكة بلهاء كأنها طفل يرى الشوكولاتة للمرة الأولى في حياته.. النور الذي يترقرق.

قال رامي:

ـ اهدئي يا عزيزتي.. اهدئي يا فاتن.. كل شيء على ما يرام.

همستْ في انبهار بصوت كأنه الفحيح:

ـ ضوء!

ـ نعم.. أنتِ بخير.. ما زال وجهك جميلًا بحق.. والآن سيسود الظلام من جديد.

أعطى إشارة عابرة للشرقاوي فأرخى يده على الزناد، ومن جديد عاد الظلام الأولي بالغ القسوة.

بدأت تهدأ قليلًا وفهم الشرقاوي من صوت تنفسها المنتظم أنها نامت.. فهم من الصوت أنها ملوثة بالعرق.. فهم من الصوت أن لعابها يسيل.. فهم من الصوت أن ابتسامة رضا مجنونة ارتسمت على شفتيها.

في الظلام قال رامي:

ـ فاتن.. زوجتي.. أولئك الذين عرفوا النور في شبابهم هم من يعاني أقسى المعاناة.. يصابون بنوبات جنون كهذه من حين لآخر لأنهم يشعرون بأن الظلام يجثم على أنفاسهم ويخنقهم.. إنهم لا يصدقون.. أما من ولدوا بعد الظلام فلا يمرون بأعراض كهذه.. أعتقد أنه شعور من يفيق من غيبوبة ليجد أن القبر انغلق عليه.

قال الشرقاوي في كياسة:

ـ هذا طبيعي.. قارن بين آلام السيدة التي فقدت طفلها والسيدة التي لم تنجب قط.. الثانية لم تملك قط ما تخسره.

كان قد تورط في الظلام، وخطر له أنه ـ ربما ـ قد مات وهذه هي حياة القبر. ربما هو العالم الآخر الذي لم يعد أحد ليحكي ما فيه. هل يوجد آخرون جاءوا معه لهذا العالم إذن؟ لو كان هذا هو العالم الآخر فهي الأبدية ولا شك. لن يتبدل هذا الوضع للأبد وعليه أن ينتحر ليختصر آلامه، لكنه كان يحتفظ بأمل خفي أن يكون هذا كابوسًا عابرًا يفيق منه.

الشرقاوي دخل ممر الفئران ولا يقدر على التراجع.

هاتان لؤلؤتان

كانتا من قبل عينيه

أحي أنت أم لست حيًّا؟ أليس في جمجمتك شيء؟

٣

لم يعر رامي نظارته للشرقاوي. كان يذكر ما فعله هو مع ماهر، ويدرك أن سحر الضوء أقوى من أي كلمة شرف أو وعد.

لقد اعتمد الشرقاوي على الوصف وخيال الأصوات والقداحة من وقت لآخر، كأنها جرعة من مخدر، ثم يعود الظلام.. الظلام الذي يترك لسعة نار في إبهامك وحسرة في روحك.

كان يتوق إلى الفرار، ولكن إلى أين؟ وكيف؟

* * *

في ثلاثة الأيام التالية عرف الشرقاوي الكثير عن هذا العالم. فهم التفاصيل كلها.. كيف يأكل هؤلاء القوم ويشربون.. اعتمادهم التام على أجهزة المذياع التي تعمل بخلايا بيولوجية.

فهم أن كل الحكومات تؤدي عملها كما كانت، لكنها ملزمة بالولاء للقومندان الذي يعتبر القائد الأعظم.. إن ما يملكه من صواريخ نووية يجعل الطاعة واجبة له خاصة أنه يرى وهم لا يرون.. أجهزة

الإبصار التي يملكها رجال الشرطة مرتبطة بإشارة إلكترونية يومية تجعلها تؤدي عملها.. هذا يجعله مسيطرًا عليهم ويمكنه أن يعيدهم لحالة العمى إذا شعر بأي تمرد.. مهمة الشرطة ـ بالإضافة لعملها التقليدي ـ هي ضبط جريمة التعامل مع النار أو النور، وتضاف للحكومات مهمة تحصيل ضرائب عالية تسدد إلى القومندان.. أعتقد أنه يمتص جزءًا من ثروات كل بلدان العالم، وبالتأكيد هناك ضريبة إجبارية من الخدمة عنده.. لا بد أن تصير خادمًا هناك لبعض الوقت.. هو نوع من التجنيد الإجباري العالمي.

يظل التحليق محرمًا قرب مقره.. على كل حال انتهى الطيران من هذا العالم تمامًا.. عالم بلا طاقة.. عالم لا يبصر.. لا يمكن أن تكون له إرادة مستقلة.

يبدو الوضع يائسًا.. لكن ـ كأي ثورة ـ كانت الجذوة باقية تحت الرماد تنتظر لحظة النهوض.. لا يعرف كيف ولا متى لكنها قادمة.

الأمل كان متيقظًا حيًا لدى المكفوفين مثل صبري، ولدى ماهر ونجوان. كانوا يتكلمون عن الثورة كأنها شيء حتمي، فكان يتساءل عن جدوى الثورة أصلًا. لو منحَتهم النور فالأمر يستحق حتمًا، لكن حتى إذا اقتنعت بجدوى الثورة، فكيف يقوم بها حشد من العميان أمام خصم باطش يرى جيدًا؟

كان يجد في الأمل الذي لا يستند إلى منطق أو قدرات نوعًا فاحشًا من الإهانة.. محاولة مثيرة للشفقة. ثمة درجة من النبل في القنوط.. ثمة بطولة في اليأس بالتأكيد. لهذا يتصلب الفأر ثابتًا ويحملق في

الأرض عندما يقف أمامه القط.. لهذا يقف المحكوم عليهم بالإعدام في ثبات فوق طبلية المشنقة. لتكن هزيمتك نبيلة.

في ممر الفئران حيث فقد الموتى عظامهم من الأفضل ألا تتخبط.. من الأفضل أن تنتظر نهايتك. مهمتك الوحيدة هي ألا تلتهمك الفئران الأخرى.

لاحظ الشرقاوي أن الظلام صار عقيدة شبه دينية. الكل يؤمن به، والكل يطالب بأن يستمر للأبد. بعبارة أخرى: فلتدم نعمة الظلام للأبد.

كان تلقين القومندان المستمر وغارات الشرطة وقصص الإعدام اليومية، قد علمت الناس أن النور خطيئة كبرى.

* * *

عملية إعدام تقليدية

في ممر الفئران الضيق، كان يمشي في الدرب يتحسس الجدران، عندما سمع من ينادي بصوت جهوري:

- تعالوا. تعالوا واسمعوا مصير الهراطقة.. تعالوا واسمعوا نهاية المجدفين!

صوت صخب.. خطوات.. هناك زحام في مكان ما.. الموقف يبدو مألوفًا.. ثمة شيء مماثل مر به من قبل.

ثم سمع الصوت الجهوري يتلو:

ـ بأمر القومندان. الهرطيق كمال ثروت قد ارتكب جريمة الضياء. جرب أن يستولد الضوء بخلايا بيولوجية، وقد أبلغ عنه جيرانه. لقد ظفرنا به ولسوف يلقى عقابه المستحق.

كان هناك من يصرخ بصوت مذعور:

ـ أقسم لكم أنني...

لكن لم يكن ثمة ما يقال. لا يمكن تكذيب النور.. وسط هذا الظلام يصير النور فاضحًا مستفزًّا بحق.

كان الشرقاوي يرتجف من التوتر.. شعر بأن ساقيه تتخليان عنه وعرقه يسيل غزيرًا.. لا يعرف السبب. كان يسمع في الماضي نكتة عن الرجل الذي ذهب ليبتاع حشيشًا.. رأى رجال الشرطة فألقى بالمال على الأرض وركض هاربًا! يبدو أنه يمر بذات الطقوس حاليًّا. أو لربما هو تجسيد لتعبير «يكاد المريب أن يقول خذوني». لو رأوه لأعدموه حالًا بلا مناقشة لأن جريمة النور بادية على ملامحه.

كان المشهد الآن يمر بمرحلة استرحام خادعة. اطلب الرحمة فقد نخفف عنك الحكم.. الرجل يتوسل ويعرض أن يبيع أمه وأباه وأولاده لو كان هذا يرضي القومندان. اطلب أكثر فلعل رحمة القومندان تنتصر. في النهاية يعرف الشرقاوي النهاية. الكل يعرفها ما عدا الرجل نفسه. ذلك الأمل القاسي.. الأمل المهين.

هتف أحد الواقفين:

ـ يستحق!

وقال آخر في رضا:

ـ إنه لمما يثلج القلب أن تتحقق العدالة في هذا الزمن.

ـ فلينصر الله القومندان.

كان يتساءل عن طريقة الإعدام في عالم لا يرى. رجال الشرطة يرون بالنظارات الليلية، لكن لا بد من عنصر العبرة في الأمر. لا بد من صوت مخيف يحفر في ذاكرة الناس المترددين. ثم سمع صوت النباح.. النباح الخفيض المخيف.. نباح الكلاب المنذر بتمزيق من أمامها.

سمع كذلك صوت جنازير، فأدرك أن هناك من يمسك بعدة كلاب، ثم سمع صوت التمزيق والصراخ.. العويل.. التوسل.. النباح. من السهل أن تفترض أن المتهم مقيد أو حبيس قفص، بينما تهاجمه هذه الوحوش التي لا يراها. هل هي قادرة على رؤيته أم تعتمد على الرائحة؟ صوت تمزق اللحم.. لم يسمع صوت تمزق اللحم قط من قبل، ولم يتخيل أنه عالٍ لهذا الحد.

الحمض.. الحمض كالحمم تتصاعد نحو فم المعدة. تحرق مؤخرة لسانه.. تدفعه للسعال.

العويل.. الألم.. ليست ميتة بطيئة أبدًا.. الهرطيق كمال ثروت ظفر بلحظات أطول في حياته، وهي لحظات كان مستعدًّا للتخلي عنها عن طيب خاطر.

وسمع الشرقاوي شهيق الإثارة من حوله.. الكل يلهث كأنه في مضاجعة حامية. وسمع من يقول:

- فليتألم!

ومن يقول:

- فليتعذب!

ومن يقول:

- فليتوجع!

وقالت امرأة خشنة الصوت متوحشة النبرات:

- الإعدام بالكلاب ممتع، لكني حضرت إعدامًا بالحمض.. كان أكثر إثارة.. يدلون به في إناء الحمض ببطء، لدرجة أنه يشم رائحة لحمه المحترق.

كان هناك مناخ عام من الانتشاء بالعدالة، لكن الشرقاوي أدرك أن الرائحة الغالبة هي أقدم عاطفة شعر بها الإنسان: السادية. مهرجان الدم في سيرك روماني. ابتعد وهو يرتجف.

كما هم العامة الجهلة في كل مكان وزمان.. يعشقون العبودية ويهوون الخضوع، ويقنعون أنفسهم أنهم يكرهون ما يكرهه الحاكم ويحبون ما يحبه. أي أنك لا تطيع الحاكم بل تطيع نفسك أولًا. فإذا حاول أحد أن يوقظهم من غيبوبتهم مزقوه تمزيقًا.

تصطدم فطرتك بأشياء كثيرة.. يُصدم ذكاؤك مرارًا.. تتوجع

مبادئك.. ينهزم منطقك، لكنك في كل الأحوال تختلق الأعذار. أنا لست أحمق ولم يكن اختياري خاطئًا.. فقط هناك حكمة عليا لا أفهمها.

لماذا يجهد ماهر ونجوان نفسيهما إذن؟ سوف تمزقهما هذه الجموع في اللحظة التي تشم فيها رائحة الثورة من ثيابهما.

٤

هل بدأت الخضرة تنبت من الجثة التي زرعتها في حديقتك العام الماضي؟
ألا فلتطرد الكلب بعيدًا عن جنباتها
وإلا نبش بأظفاره فأخرج الجثة من جديد.

* * *

حضر الشرقاوي عدة حالات إعدام في الأيام التالية.

الحق أن الإعدام كثير جدًّا في هذا العالم. وقد قدر أنه هالك على الأرجح مثل بطل «١٩٨٤»، رواية «أورويل» الكابوسية. كان يملك بذور الاعتراض وهكذا حكم على نفسه بالإعدام منذ اللحظة الأولى.. الخيانة تبدأ كفكرة.

أكثر المشاهد ـ معذرة أقصد المسامع ـ التي أثرت فيه، هي عملية الإعدام لهرطيق كان المبلغ عنه هو أخوه.. أخوه الذي أدرك أن أخاه يحتفظ بنظارة رؤية ليلية وأبلغ الشرطة. لقد صار مواطنًا صالحًا

عظيمًا ومثالًا يحتذى، وكان يستمع لصوت تمزيق جسد أخيه وهو يهلل فرحًا ثم يستحيل تهليله بكاء هستيريًّا يمزق نياط القلوب.. ثم يستحيل البكاء ضحكًا.

التضحية بأخيك عمل نبيل بحق. التضحية الأعظم.

الرضا بالظلام لم يكن سهلًا.

هذه عملية تربوية معقدة جدًّا تبدأ من الطفولة. الظلام هو الشيء الطبيعي.. ثمة خدعة زائفة أقرب للكفر اسمها النور. لا يخدعنكم من يتكلمون عن النور والشمس، فهم خونة منافقون يريدون لكم الهلاك.

ولد نوع من القصص شبه الديني يردد قصة «بروميثيوس» الذي سرق النار من «الأوليمب»، ولكنه في تلك القصص كان وغدًا هرطيقًا تجاوز حدوده البشرية.. لهذا وجب عليه العقاب.

الشرطة والحكومة لم تكن كل شيء. هناك رجال الدين التقليديون من شيوخ وقساوسة وحاخامات، لكن هناك كذلك كهنة الظلام.. وهم من يبشرون بالظلام ويدعون الناس لتذوق تلك النعمة.. لو أراد الله لنا أن نرى النور، لما حجبه عنا الغمام أصلًا. نحن نحقق إرادة الله فينا... إلخ.

كان الناس قد تشربوا الفكرة بحق، لدرجة أنهم قد يسلمونك أو يفتكون بك بسهولة تامة لو أعلنت عن خواطرك.. وهكذا صار الآخرون قوة كاسحة لا قبل لك بمقاومتها، ولعل الآخرين لديهم شكوك مثلك لكنهم لن يعترفوا أبدًا كما أنك لن تعترف كذلك.

قال رامي وهو يلتهم الطعام مع الشرقاوي:

ـ أنا لا أعرف من أين جئت ولا كيف دخلت بيتي، لكني موقن من شيء واحد.. أنا وأنت نملك ذات الروح والآراء تقريبًا وكلانا يؤمن أنه لا جدوى.. لا سبيل لتغير أي شيء.. سنعيش ونحاول ألا نُعدم، وفي النهاية نموت في الظلام.

قال الشرقاوي:

ـ ماهر يعتقد أن عليه أن يموت وهو يحاول.

ـ القبور مفعمة بجثث من ماتوا وهم يحاولون.. لقد ولى زمن طويل على هذا الهراء السارتري الوجودي. «سارتر» نفسه أصيب بيأس كاسح عندما صار كفيفًا في نهاية حياته. لو استطاع أن يجد موسي الحلاقة لقطع شرايين معصمه لكنه لم يرها. أعتقد أن علينا أن نموت ونحن نحاول فعلًا.. نحاول الانتحار.

كان الشرقاوي يفكر...

هذا كابوس.. لا شك أنه كذلك.

إذن هو في الأرض التي عرفها يغفو بعد عشاء ثقيل ويرى كل هذه الرواية المعقدة. لكن ماذا لو كانت هذه هي حياته الحقيقية بينما هو يحلم بحياته كمهندس يرقد الآن في الفراش جوار زوجته، ويغفو طفلان صحيحا الجسد في الغرفة المجاورة؟

الليل والصمت..

الليل والصمت وأغنية الانهزام..

الليل والصمت وأغنية الانهزام وصحوة الجرح الذي لم يلتئم بعد..

كان مترفًا يسأل أسئلة وجودية.. الآن لا مجال لهذا الهراء.

ربما كان هذا هو الحلم.

ربما كانت الحقيقة هي الظلام منذ البداية. من الطبيعي أن يحلم من يعيش في الظلام بعالم من النور الساطع. الحقيقة هنا والحلم هناك. أم هو العكس؟

* * *

لاحظت الممرضة أن القناة الوريدية مفتوحة وأن الدم يسيل ليغرق الملاءة، مدت يدها تضغط على الوريد ونادت صديقتها كي تجلب لها سدادة للوصلة.

كان يحاول تحريك ذراعه. لم تعد تعتبر هذه مفاجآت سارة. هو يحلم حلمًا عنيفًا لكن استعادته صارت مستحيلة. لن ينهض أبدًا.

ـ بسرعة يا مها! مها!

* * *

في ممر الفئران الضيق، نادت نجوان صديقتها كي تجلس معهم في الدائرة:

ـ مها.. تعالي!

سمع الشرقاوي خطوات مها وهي تقترب ثم تجلس. مها رشيقة نحيلة في الثلاثين من العمر ولها عين حولاء.. لكنه الحول الذي يعطي جاذبية خاصة لصاحبته. لم يرَ أنثى مغرية في حياته إلا ولديها درجة خفيفة من الحول الوحشي، أي أن مقلتها تتجه للخارج قليلًا. كانت مها من هذا الطراز. كيف عرف هذا كله؟ من صوت خطواتها! لقد صارت لديه عادة أن يكسو الصوت لحمًا، وكان صوت خطوات مها وحفيف ثوبها يدلان على ذلك.

أنت تذكر أنه حسب أن ماهر يشبه «جيفارا» وأن نجوان ضخمة عارمة الأنوثة. كل هذا خطأ.. لكن الحياة مستحيلة من دون صورة ذهنية ولو كانت زائفة.

اكتملت الدائرة.. يعرف أن بينهم رامي وماهر ونجوان وصبري.. لا يعرف الباقين.. نادي الخاسرين.. مشاريع جثث ممزقة بإذن الله.. قريبًا جدًّا.

قالت نجوان:

ـ مها طبيبة وثائرة طبعًا.

قال شيئًا في الظلام، فقالت مها بصوت ناعم كالمخمل:

ـ لا أنسى صوتًا أبدًا.. أنت جئت المستشفى تشكو من العمى.. كان هذا منذ أيام!

هنا شم رائحة العطر النفاذة وتذكر اليد الباردة تضغط على محجر

عينه. عندها قالت له: «اكتئاب الظلام شأن من يأبى التصديق.. هذا عرض معتاد فلا تقلق».

قال رامي:

ـ يمكنكم الكلام.. أنا أضع النظارة وأرى كل شيء في صبغته الخضراء الكئيبة وعيونكم تشع كالشياطين.. نحن وحدنا فعلًا.. لا خطر مما نقوم به.. الواقع أنه لا خطر ولا جدوى!

فوق السحاب

١

هكذا تنتهي المقطوعة الرائعة «نساء وندسور». جو «شتراوس» الفخيم الذي ينبعث من ثنايا ألحانه.

تدور «باولا» وتدور معبرة عن امتنانها للنور.. العبادة.. الافتتان. كان النور قد أوصلها لمرتبة عليا من الذوبان شبه الصوفي، لدرجة أن بوسعك أن تذبحها فلا تبدي مقاومة.

في القاعة كان خليط غريب من القوم، وكانت تعرف هذا منذ البداية، غير أنها كانت تعرف كيف تكون الأجمل والأكثر إغراء.. كانت في الواقع ترقص في عقول كل الجالسين وعلى حبال غرائزهم.. بقدميها الرشيقتين كانت تبعثر جزيئات الهرمونات من هنا لهناك.

* * *

انتهى الحفل في ساعة مبكرة من صباح الاثنين.

فرغت الراقصات الإيطاليات من أداء فقرتهن فهرعن وراء

الكواليس.. على حين انتشر الخدم الهنود هنا وهناك يقودون الضيوف إلى حجراتهم.

كانت «باولا مارياتشي» الراقصة الإيطالية ذات العشرين ربيعًا تتوق إلى تدخين لفافة تبغ لأول مرة في حياتها، لذا اتجهت إلى الشرفة المفتوحة ووقفت ترمق العالم أمامها.

كان الفجر يقترب كما قلنا لكنها لم تستطع رؤية نذره الأولى، لأن الإضاءة الشمسية الصناعية في الشرفة تجعل هذا مستحيلًا.. قيل لها إن هذه هي الطريقة الوحيدة كي لا تتجمد لأنها في أعلى بقعة من العالم.. كل القاعات تتمتع بتدفئة ممتازة، بينما الشرفات وساحات الرياضة تضاء بشمس صناعية.. هذه القلعة تستهلك وقودًا كان يكفي دولة صغيرة منذ بضعة أعوام.

قالوا لها إن التنفس صعب في الشرفة وإن عليها أن تضع قناع الأكسجين.. لكنها لا تشعر بأن هناك مشكلة.. من العسير نوعًا أن تدخن بقناع أكسجين على وجهها.

أشعلت لفافة التبغ بالقداحة التي أعطاها إياها الجنرال «كريلوف» في بداية السهرة.. شعور مذهل هو أن تستطيع أن تصنع النار بأداة صغيرة كهذه.. كانت «باولا» في بلادها مدمنة تبغ، لكنها تمضغه كما يفعل الجميع.

«باولا»...

«باولا» من جيل الظلام. لم ترَ الشمس ولا النور قط، وكانت

تعرف أنهما من أساطير الشيوخ الواهمين. الظلام هو الشيء الوحيد الحقيقي والتمرد عليه نوع من الإلحاد. هناك في روما يوجد الفاتيكان مسؤولًا عن الدين، وتوجد هيئة الظلام مسؤولة عن استقرار عقيدة الليل.. كراهية النور. كانت متدينة في نشأتها، ولهذا اعتادت أن تطيع. أطاعت كلام الكرادلة واعتقدت أن عليها تلقائيًّا أن تطيع كهنة الظلام.

منذ طفولتها تحسسوا وجهها وقالوا إنها جميلة حسنة التقاطيع.. لم ترَ نفسها في مرآة من قبل، وكانت كلمات الآخرين مرآتها لو كانت تفهم معنى المرايا. ومع الوقت والنضج بدأت تدرك أن جسدها يتكور في الأماكن الصحيحة.. لم تفهم الرجال أبدًا ولا سبب حماستهم لتجمع الدهن في مواضع بعينها من جسد الأنثى. لكنها كانت تدرك أنها اجتازت الاختبار وأن الدهن في أماكن صحيحة.

في طفولتها زار كهنة الظلام المدرسة، واستطاعت أن تخمن أن هناك كاهنة حازمة تقود المجموعة. الصوت الرنان الآمر.. لم ترَ النور قط فلا تستطيع رسم صورة ذهنية. كان يأتي من الظلام كأنه صوت القدر ذاته.

- هذه.. ما اسمها؟

- «باولا مارياتشي» أيتها الأخت الكبرى.

- كم سنها؟

- في الثامنة أيتها الأخت الكبرى.

- هي راقصة.. كل شيء فيها يصلح كراقصة.

- راقصة ستكون أيتها الأخت الكبرى.

حتى في سن الثامنة، أدركت «باولا» أن الكاهنة ترى. عرفت فيما بعد أن الكهنة يستعملون نظارة الرؤية الليلية مما يعطيهم تفوقًا مذهلًا. ومنذ ذلك الحين عرفت أمها أن ابنتها اختيرت لتكون راقصة للسادة. لم ترَ «باولا» أباها ولا تعرف عنه أي شيء وأمها لم تحكِ عنه قط. في سن الثامنة لم تعد تتعلم شيئًا سوى الرقص. هناك مَن يلقنها الخطوات ومَن يعلمها كيف تدور في الظلام. كيف ترفع ساقها.. كيف تفرد يديها. كل كيانها خصص للرقص كأنها بهيمة تعد للذبح إذا اكتمل وزنها.

بعد عشر سنوات صارت قادرة على أداء أي رقصة في العالم، وعلى أن تُخضع جسدها لأي لحن كان. يمكنها أن تحرر خلاياها من سيطرتها، فيرقص القلب وحده ويهتز البنكرياس ويتمايل الكبد.. حفل كامل يقيمه جسدها متى شاءت.

في ممر الفئران هناك من يخلق البهجة ولا يراها الآخرون.

قالت لها أمها إن الكاهنة تجيد فن الفراسة والقيافة، وقد أدركت أن «باولا» ستكون ناضجة مغرية تسر الناظرين لو وجدوا. كانت «باولا» تكبر وهرموناتها تتدفق عندما سمعت صوت «فيتوريو» لأول مرة.

تعتقد باولا أن فيتوريو وسيم فارع القامة.. لا تعرف بالضبط معنى كلمة «وسيم» وتعرف معنى «فارع» بالتقريب.. لكن كل شيء

قد تغير في هذا العالم على كل حال، بحيث صارت للأذن قدرة هائلة على التمييز وتكوين الشخصيات. «الأذن تعشق قبل العين أحيانًا».. هذه الشطرة من الشعر العربي لم تسمعها لكنها تعبر عما في ذهنها يقينًا.

بالطبع «الأذن تخدع قبل العين أحيانًا» أمر وارد.. هناك مكفوفون كثيرون تعلقوا بصوت فتاة، بينما هي لا تتمتع بأي جمال.. لكن العبرة هي عين الروح وما تراه.

أدرك «فيتوريو» بروحه أنها حسناء، وأدركت بروحها أنه قوي وسيم، وكانت علاقة الحب القوية بينهما. العلاقة التي أحفظت أمها عندما عرفت:

ـ حذارِ من التورط.. حذارِ من الحمل وأن يتلف هذا الجسد الرائع.

ـ هذا جسدي يا أماه.

قربت الأم شفتيها من أذن ابنتها التي لا تراها وقالت:

ـ لم يعد جسدك ولا جسد فتاكِ.. منذ اختارتكِ الكاهنة في طفولتكِ، وقد صار هذا جسد القومندان.

ثارت.. غضبت.. ركلت الأرض.. لطمت خديها. لكن الحياة تمضي بقسوة.. لا سبيل للاختيار.

وجاء اليوم الذي دق فيه الباب بعد عشر سنوات من القلق

والترقب.. سمعت الأم تفتح ثم تشهق، وسمعت الكاهنة التي لم تنسَ صوتها تقول بذات اللكنة الآمرة:

ـ حان الوقت.. «باولا» لنا منذ اللحظة.

ووجدت أن أنامل لا تعرف من أين جاءت تحيط بها. صرخت وقاومت لكنها لم تكن ترى شيئًا.. هن يرين بوضوح ويملكن قوة مطلقة. هن مصممات.. تصرفت كطفل يأخذونه للمدرسة في اليوم الأول.. لم تصدق أن في العالم كل هذه القسوة.

بعد أيام طويلة، وجدت نفسها تجلس في طائرة. هكذا عرفت من زميلاتها، وهكذا وصفن الشعور الغريب المخيف الذي تشعر به وصفير أذنيها والتسارع الرهيب الذي يجعلها ترتجف.. لم تكن قد سمعت عن الطائرات ولا تعرف ما هي، كما أنها لم تفهم قط كيف يستطيع هؤلاء القوم أن يعرفوا وجهتهم.. إنهم يملكون مزية النور، ويدنون من الآلهة، أما هي فعليها أن تظل في الظلام المقدس أبدًا.

وعندما هبطت الطائرة أخيرًا كان عليها أن تكتشف اختراعًا لم تحسب له وجودًا في العالم من قبل: البصر.

٢

نفثت الدخان، وراحت تراقب الذرات الراقصة في انبهار.. بعد سني الظلام يمكنك أن تهيم حبًّا بالدود يخرج من جثة كلب منتفخة، أو الذباب يتكاثر على قطعة روث، أو تنبهر بذرات الدخان المنبعثة من سيجارة.. أنا ظامئة للكون.

سمعتْ صوت أحدهم قادمًا، ولم تحتج إلى أن تلتفت لترى مَن.. منذ بداية الأمسية لم يتركها الجنرال «كريلوف» لحظة. هذه هي مأساة المرأة الجميلة.. إنها لا تستطيع أن تظل وحدها لحظة واحدة.

الجنرال «كريلوف» لا يحمل سمات العسكريين.. يشبه الغريب غير الأرضي «إي تي» كما يبدو في الأفلام بعنقه الطويل وقامته القصيرة ورأسه الأصلع والعينين الجاحظتين. ربما يشبه دكتور مصطفى إلى حد ما. هي لم ترَ دكتور مصطفى لكننا رأيناه. وابتسمتْ.. لا بد أن الجنرال يعاني مركب الرجل صغير الحجم، لأنه يتصنع خشونة معينة في صوته ويحاول أن يبدو عدوانيًّا مقتحمًا.. كما أنه يعرف أن عينيه قويتان ويستعملهما بإفراط حقيقي.

في يديه كأسان من الفودكا، ومن الواضح أنه يريد أن تشرب معه.

ـ هل تستمتعين بمطلع الفجر يا عزيزتي؟

كان يتكلم الإنجليزية الرديئة وهي اللغة الرسمية للكلام في برج بابل هذا.. هزت رأسها أن نعم، وهي تتمنى لو أنه يتركها قليلًا.

ناولها كأسًا ثم رفع كأسه بحركة تمثيلية وقال:

ـ نخب أجمل عينين زارتا قلعة القومندان.

وجرع كأسه مرة واحدة ثم طوحها وراء كتفه كعادة الروس. لم تسمع من قبل من يقول إن عينيها جميلتان.. السبب هو أن أحدًا لم يرهما من قبل.

كانت هي ترمق المنظر من الشرفة.. شعور غريب بحق أن تجد نفسك فوق الغيوم.. الغيوم تبدو لها كأنها أرض يمكن أن تترجل وتمشي فوقها.. أرض فيها جبال وهضاب ووديان.

أما ما يدير الرأس بحق فهو أنها فوق مستوى الظلام ذاته.

قال الجنرال:

ـ نعم.. أعرف ما تفكرين فيه.. نحن هنا فوق السحابة السوداء التي يغرق فيها البشر.. نحن فوق مستوى الظلام والليل الكثيف.. لا يفصلنا شيء عن ضوء الشمس.. لكننا ندفع ثمنًا غاليًا هو قلة الأكسجين والبرد القارس.

دوى هدير محرك.

واستطاعت أن ترى الطائرة التي جاءت بها والفرقة تطير فوق الجبال مبتعدة.

سألته:

ـ كيف يرى طريقه للهبوط؟

ـ تقصدين تحت مستوى السحابة السوداء؟ بالطبع يعتمد على أجهزة الرؤية في الظلام.. يستعمل وقودًا بيولوجيًّا خاصًّا لأن البترول لم تعد له قيمة.

كانت ترمش بعينيها غير مصدقة.

للمرة الأولى منذ عشرين عامًا تعرف معنى البصر.. تستعمل هذين العضوين الموجودين تحت جبهتها.. وقد جعلها هذا تجن تمامًا.. راحت ترقص كالمخابيل أربع ساعات.. وكانت الراقصات اللاتي جئن هنا من قبل يتبادلن النظرات الضاحكة.. هذه أعراض الإبصار التي مرت بها جميعًا.

لقد كانت الضربة قوية.. فجأة استعملت عينيها وصارت تعرف معنى كلمة «نور».. فجأة هي فوق قمة العالم.. فجأة هي فوق الغمامة ذاتها.. فوق الظلام.. فجأة هي في قصر القومندان الذي تسمع عنه منذ جاءت إلى العالم.

فليكن هناك نور.

كل هذا أفقدها صوابها فعلًا، فصارت على استعداد لعمل أي شيء كي يُسمح لها بأن تبقى هنا.

سألت الجنرال دون أن تنظر إليه:

ـ هل رأيت القومندان من قبل؟

في ارتباك:

ـ مرتين لا أكثر.. ليس مولعًا بالظهور.

ـ كيف يبدو؟

ـ إنه راهب من رهبان التبت.. يبدو مثل «الدلاي لاما».

طبعًا لم تكن قد رأت صورة «الدلاي لاما».. لم ترَ أي صورة لأي شخص في حياتها.. لو قال إنه يبدو كحيوان الأوكابي أو سحلية التواتارا فلن تهتم.

ـ لكنكم هنا منذ زمن.

ـ نحن قادته.. ونحن من يدير كل شيء ونبلغه بالتفاصيل.

فجأة حلقت طائرة أخرى فوق الرؤوس.. وسرعان ما توارت وسط الغيوم السود.

سألته في دهشة:

ـ ما سر هذا النشاط؟

لم يرد.. فقط أشار إلى الأفق وقال:

ـ الآن ترين اللمسات الأولى للفجر.. الشمس تظهر في الأفق

الشرقي.. سوف يخيل لك أنها تتحرك.. الحقيقة أن الأرض هي التي تتحرك.. سوف يحمر الأفق وترين مشهدًا لن تنسيه.

يتكلم بفخر كأنه هو المسؤول عن هذا المشهد الجليل.

كان قلبها يخفق وصدرها يعلو ويهبط.

قال لها الجنرال:

ـ هناك كلمة تسمعينها لأول مرة.. نقولها في ظروف كهذه: «صباح الخير».

نظرت له في عدم فهم فعاد يكرر الكلمة:

ـ صباح الخير.. صباح جميل.. «جود مورننج».. «بونجور».. «جوتن مورجن».. «بونجورنو» بلغتك.. «داو بروي أوترا» بلغتي.. هذا هو الصباح لذا تتمنين لأصدقائك أن يكون جميلًا.

أول صباح تراه في حياتها.

هذه لحظات أسطورية.. سوف تموت وهي لا تحمل من كنوز إلا هذه الذكريات.

تصوروا أن المسنين يزعمون أن هذا المشهد كان يوميًّا! هي التي لا تفهم أصلًا معنى كلمة «مشهد».. يقولون إنه كان مجانيًّا.. هبة مجانية من الخالق الأعظم.. كيف؟ لو أن المرء ذبح نفسه الآن فلن يكون ثمنًا كافيًا لمشهد كهذا.. لقد حصل على كل شيء.

انفجرت في البكاء.

قال الجنرال في وقار:

ـ نعم.. نعم.. أعرف ما تشعرين به.. هذا البهاء لنا وحدنا.. كان من حق الجميع فصار من حق الصفوة.. إننا سادة العالم بلا مبالغة.. ألا يدير هذا رأسك؟

من بين أشجار الكافور طار طيف وردي كبير في الهواء نحوها فتراجعت في ذعر.. ورأته يدخل كأسها ليذوب.

هتفت غير مصدقة:

ـ الطيف الوردي.. لقد...

قال الجنرال:

ـ آه.. هذه علامات نقص الأكسجين وقد أثرت على الدماغ.. أرى أنه من الأفضل أن ندخل الآن.. إن تركيز الأكسجين بالداخل عالٍ.

قررت بالفعل أن تدخل قبل أن ينزلق لسانها بفعل هلاوس نقص الأكسجين وتتكلم أكثر من اللازم.

لو عرف الجنرال أنها من الضوئيين وأنها تتجسس على القلعة، فلسوف يلوم نفسه ألف مرة على كل هذه الثرثرة الحمقاء.. كل الرجال يتحولون إلى بلهاء أمام فتاة جميلة.. لكنهم عندما يفيقون يتحولون إلى وحوش.

وهي لا ترغب في أن ترى الجنرال يتحول من أبله إلى وحش.

في اللحظات التالية سوف ينالها.. سوف يقهرها ويلعب دور الفحل السادي المسيطر، وهي ستكون هشة واهنة. تعرف هذا وتتوقعه وتتقبله. لا ثمن لنشوة النور هذه أقل من الموت. فإن كان الثمن هو بعض التقزز أو الانتهاك فلا بأس.

محظوظات هن الراقصات اللاتي يقضين حياتهن بانتظار تسلية السادة.. إنهن يقتربن من النور والحقيقة كثيرًا. إنهن يعرفن أكثر، بينما على الأرض تنزوي البائسات اللاتي لم يجد أحد جدوى منهن. يعشن ويمتن في ممر الفئران المظلم، ويتحسس اللحَّاد قبرهن بحثًا عن طريقة لفتحه.

٣

في الضوء الواهن نهضت «باولا».. وقفت أمام المرآة في غرفة النوم الشاسعة، حيث يتسلل ضوء الشمس الوليد من بين رقائق ستائر النافذة. لن تفتحها للنهاية لأنها لا تريد أن يستيقظ كمال بك من غفوته. ينام على ظهره كخنزير وبطنه يعلو ويهبط.. هي لم ترَ خنزيرًا من قبل. فقط أنا أُقرب لك الفكرة. يغط بلا توقف من فرط ما شرب من خمر، ومن محيطات الشهوة التي عبرها.

حتى اللحظة لم تصدق «باولا» أن هناك شيئًا اسمه المرآة. كما حدث لمن حضروا أول فيلم لـ«الأخوين لوميير» في التاريخ وحسبوا أن القطار على الشاشة سيدهمهم، فهي ظلت مؤمنة أن هذه نافذة تقف خلفها حسناء بارعة الجمال في غرفة أخرى.. حسناء تقلد كل حركاتها. لم تكن كذلك قد رأت الجمال من قبل لكنها عرفته عندما رأته، وتعلمت كيف تتذوقه في نفسها ولدى الأخريات.. هذه فتاة جميلة ولا شك تتحرك مثلها وترمقها بذات الدهشة. هاتان عيناك إذن؟ هاتان شفتاك. أهذا صدرك؟ إنها تملك

كنزًا بصريًّا لن تتعب من تأمله. أيام ممتعة تنتظرها مع هذا الجسد فلن تشعر بالسأم أبدًا. هي وهي فقط.. إنها ملكة. صحيح أنها ملكة تحت تصرف من يريد من السادة، لكنها تدرك من نظراتهم أنهم في حالة انبهار وذهول.

«فيتوريو» يا أحمق.. لو تعرف ما فقدته! أنا هنا عند قمة العالم، ونظرات هؤلاء القمة تخبرني أنني إلهة.

تقلب كمال وراح يئن ثم جلس في الفراش وقد غطت الملاءة بطنه الذي تغطى بشعر كثيف، وراح يحك ثدييه المترهلين في خمول بأصابعه المزدانة بالخواتم. لماذا يحبون إخراج الهواء من طاقتي الأنف بعد الحب؟ هل لأن هذا يشعرهم أنهم ثيران شديدة الفحولة؟

كانت تدرك أنه من أصل عربي، ففي برج بابل هذا توجد جميع الجنسيات، لكن هناك عددًا أكثر من اللازم من العرب والروس والصينيين. وكلهم عينة منتقاة.. لا بد من النظرة الشريرة والترهل ومسحة خمول وشهوانية مفرطة.

قال لها بلهجة يغلبها النوم:

ـ صبي لي كأسًا من النبيذ الأبيض.

ـ هذا مبكر جدًّا.

ـ لا يعنيني.

صبت له النبيذ في كأس من كريستال، ثم مضت إليه، تشق طريقها وسط ستائر الفراش الحريرية. منظره وهو بدين جالس يمسك بالكأس جعلها تتذكر الصورة التقليدية عند الغرب عن هارون الرشيد.. ربما شهريار.. سيكون عليها أن تسليه بالقصص حتى لا يذبحها.

مد يده وأخرج من علبة سجائر ذهبية سيجارة رفيعة بنية اللون، وأشعلها ونفث سحابة من دخان عطر الرائحة وتأمل طرف اللفافة في حكمة.

رشف رشفة من الكأس ونظر إليها من فوق حافتها، وسألها:

ـ متى تعودين للظلام؟

كان هذا سؤالًا قاسيًا.. فكرت حينًا ثم قالت:

ـ لا أعرف.. لست أنا من يرتب هذه الأمور.

نظر لها بعينيه الحادتين وتمنى لو استطاع أن يطيل بقاءها بعض الوقت، لكن هناك سلطات أعلى تحدد هذه الأمور. مال على جانب الفراش وأشار إلى الكومود البعيد وطلب منها أن تفتح الدرج. فعلت ذلك فشهقت.. كانت هناك وسادة من المخمل عليها قلادة ماسية.

قال لها:

ـ هل رأيت الماس من قبل؟

ـ رأيته مع الفتيات الأخريات هنا.. في عالم الظلام لم أره ولم ألمسه.

- سوف تتعلمين بالطريقة العكسية.. الأشياء التي تبدو كذا يكون ملمسها كذا.. في الماضي كنت تلمسين الشيء أولًا وتحاولين تكوين صورة ذهنية عنه. هذه القلادة لك.. أحب أن أهدي شيئًا للفتيات اللائي رقن لي.

لم تدرِ ما تقول له.. في عالم الظلام لا جدوى من المجوهرات. ربما أحب البعض ملمس الماس، لكنهم لن يروا هذه المعجزة التي صنعها الضغط عبر القرون في الكربون. هذه كانت قطعة فحم يومًا ما، وعليك كي تدرك المعجزة أن تراها.

لكنها برغم كل شيء أخذت القلادة ووضعتها حول عنقها وابتسمت.

قال كمال بك:

- أنت تذكرينني بحسناء عرفتها في بلادي يومًا ما عندما كان هناك نور. كان اسمها صفية. كنت من الأثرياء وكانت أقرب لجارية عندي. ثم هوى النيزك وأيقنَّا بالهلاك، هنا ظهر الحل السحري. الفئة المحظوظة التي تملك الثروة أو القوة يمكنها القدوم هنا لتعيش في قصور القومندان.. يمكنها أن تكون فوق آلام العالم.. فوق أسراره.. فوق مخاوفه.. فوق عقائده. وهكذا استطعنا أن نأتي إلى هنا.

- وأين صفية اليوم؟

- لا تسألي.

سألته في حذر:

- هل رأيت القومندان؟

- ليس من السهل أن تري القومندان.. فقط الدائرة المقربة منه تقدر. يتصرف كإله، لكنه إله لم يخلق النور بل انتفع بغيابه.. لم يقل: «ليكن هناك نور»، لكنه قال: «فليكن ظلام».

دقت الساعة معلنة التاسعة صباحًا، فعرفت أنها سوف تنصرف.. قيل لها إنها سترقص الليلة ثم تقضي باقي الليل مع «جون ماكلويد» الثري الأمريكي الذي كان يعيش في تكساس. عليها أن تنام في مسكن الراقصات بضع ساعات قبل السهرة، لكنها لا تريد النوم. تريد أن تمتص كل جسيم من النور في هذا العالم. بدت لها فكرة العودة للظلام لا تطاق.. لماذا يتخلصون منها؟ الكل يحبها ويريدها. فلماذا لا تصير منهم؟

ثم قالت لنفسها إنها تحب «فيتوريو».. نعم تحب «فيتوريو» ولا تريد له أن يتعفن في الظلام وحده. ربما كان عليها أن تعود عندما يطلبون منها العودة.

قالوا لها:

«إياك أن تحملي يا فتاة.. الحمل هنا لا يمر بسهولة.. هناك عقوبة الإعدام ولا مزاح فيها.

إياك أن تحلمي يا فتاة.. الحلم هنا لا يمر بسهولة.. هناك عقوبة الإعدام ولا مزاح فيها.

الحمل والحلم ممنوعان.

إياك أن تتكلمي عندما تعودين للظلام.. الكلام هنا لا يمر بسهولة..
هناك عقوبة الإعدام ولا مزاح فيها.

فلتطبقي يدك الرقيقة على القلادة، ولتصمتي.. ولتطيعي».

المواجهة

١

قالت نجوان:

ـ أنت جئت من رحم اللامكان.

وقال ماهر:

ـ كأنك وعد أو نبوءة تحققت.

وقال رامي:

ـ كل شيء في قدومك عجيب ساحر.

وقالت مها القادمة الجديدة:

ـ أعتقد أن في قدومك علامة.

شعر الشرقاوي بالذعر. هؤلاء القوم يعاملونك كنبي آخر الزمان أو المختار أو المخلص. السبب هو أنهم لا يعرفون من أين جئت. وفي شيء من السخرية راقب الطريقة التي تتبلور بها أي مجموعة من حوله، كأنه نواة البلورة التي تحتشد حولها بلورات السكر في محلول

مشبع. الكل يأتون له.. يشرحون له مشاكلهم وآلامهم.. يشرحون له خططهم. وكان يتساءل: «إن كنت أنا المختار كما تحسبون فعلامَ لا تمنحونني نظارة؟ لماذا تملكون البصر جميعًا ولا أملكه أنا؟». ربما لأنهم يحسبون بصيرته كافية.

لكنه أيقن أن هناك عاطفة ألفة تربطه بمها.. ثمة تردد معين للأرواح يجعلها تتلاقى، وقد كانت مها تقريبًا على ذات التردد الروحي. بدأ يعشق عطرها النفاذ الكريه، ويشعر أنه جميل، كما أنه اعتاد صوتها الساحر المخملي. الحق أنه لم يسمح لها أن تكون قبيحة في ذهنه.. لا. لا يحق لها ألا تكون رائعة الجمال. الطريقة العجيبة التي تكتسي بها الأصوات لحمًا في هذا العالم. برغم هذا سأل رامي إن كان قد وجدها جميلة.. قال رامي إنه نسي مقاييس الجمال، فلربما كان الناس في الماضي يعشقون الجفون المنتفخة والأنف الغليظ.. ربما، لكنه يعتقد أنها جميلة.

قالت له مها:

ـ كل شيء يتعلق بك غريب. أحسب أن لك شأنًا خطيرًا في حياتنا.

ـ لا أعرف كيف. لكن إن كان هذا كفيلًا بأن يخدعك فأنا به سعيد.

أمسكت بيده بشكل تلقائي كأنها تفعل ذلك منذ دهور، وسألته:

ـ ما خططك؟

بارتباك قال:

ـ لا أملك خططًا.. سوف أبقى حيًّا.

- هذه خطة طَموح، لكن لا أعتقد أنك ستظل في بيت رامي للأبد.. يجب أن تجد مسكنًا ويجب أن تكسب عيشك.

المسكن كان سهلًا. لديها شقة صغيرة في روض الفرج يمكنه أن يقيم فيها ولا يدفع لها مليمًا إلى أن يجد عملًا ويربح مالًا، أما العمل فمشكلة أعقد..

- مَن يريد مكفوفًا بلا بصيرة؟ كل الناس اكتسبت بصيرة الظلام، أما أنت فتتصرف بحمق وخرق وما زلت تصطدم بالمقاعد وتتعثر في أطراف السجاجيد.

كان رامي في مكان ما من الظلام يسمع ما يقال فهتف:

- يمكنك أن تذهب للقصر فوق السحاب.

- قصر فوق السحاب؟

- القومندان.. الحياة هناك تحتاج إلى عبيد وجوار وخدم.. حاجتهم للوقود البشري لا تنتهي. هناك رحلات دورية، والجميل أن هؤلاء القوم يرون النور.. هذه تجربة لا تصدق.

- نور؟

- أنا ذهبت إلى هناك فترة كطبيبة.. هي تجربة لا يمكن التعبير عنها بكلمات. مع النور تشعر بأنك كلي القدرة، بالغ القوة.. ربما أنت أقوى من الموت ذاته.. كيف يقهر الموت شخصًا يرى؟ الغالبية يبكون من الهيبة والبعض يجنون.. وفي النهاية يقاوم

الجميع حتى لا يعودوا للظلام، فيحملهم رجال الشرطة حملًا إلى الطائرة، وهم يصرخون ويتلوون.

قالتها مها في الظلام وصوتها يلمع.

ـ طائرة؟ هناك طائرة؟

ـ هؤلاء القوم ينعمون بكل ما كانت البشرية تنعم به منذ ثلاثين عامًا أو أكثر.. هؤلاء القوم ينعمون بالأروع وكل ما يجعل الحياة ذات مذاق.

ـ وكيف السبيل إلى أن أكون هناك؟

ـ ليس الأمر سهلًا.. هناك فحص مدقق وبحث في الملفات عنك.. لن يسمحوا لمناضل أو متمرد أن ينضم لعالمهم فوق السحاب. رامي وماهر جربا الانضمام وفشلا.

بسخرية سأل:

ـ وهل يقبل ماهر الثائر العتيد أن يخدم مستعبديه؟

ـ الفضول والظمأ إلى النور.. لا بد من أن ترى الطابق العلوي مهما كان رأيك سلبيًّا في الجيران.. لن يفيدك في شيء أن تلعب دور «جيفارا» في الظلام للأبد.

ـ والثورة؟

ساخرًا قال رامي بابتسامة أمكنهما أن يتخيلاها في الظلام:

ـ الثورة نوع راقٍ من المخدرات.. يمكن لأمثال ماهر أن يلبثوا

في الظلام ويحلموا.. لا بأس.. هذا يؤجل خطوة الانتحار بعض الشيء.

* * *

هناك واحد لكل واحدة، وقد عرف الشرقاوي أن مها له، بالضبط بالطريقة التي صارت بها نجوان لماهر. لكن حبهما افتقد الجانب الحسي الذي ميز علاقة الأخيرين. لم يحدث بينهما تقارب جسدي أكثر من تلامس اليدين، لكنه كان سعيدًا. أن تقع في حب صوت.. تجربة وصفها طه حسين مع صوت مي زيادة، وهو يمر بها اليوم.

صوت مخملي منتعش وفيه لمسة عملية رشيقة.. يمكنك أن تقع في غرامها للأبد. ومع الوقت تملكه شعور عجيب: هو لا يرغب في أن يرى وجهها، فلسوف يحبطه الواقع. مهما كان الواقع فلن يبلغ عُشر الأحلام، وهو الذي اعتاد تشويق أفلام الرعب، لكنه كان يكتشف في كل الأحوال أن المسخ ليس بالرهبة التي صورها له خياله في البداية.. ليس هذا فيلم رعب، لكن المبدأ واحد. يجب أن تظل مها صوتًا وملمسًا ودفئًا.. فقط.

عندما ينتقل إلى الشقة القديمة التي اختارتها له، فلسوف ينعم بالاقتراب منها أكثر. ولسوف يحاول أن يصير من المحظوظين الذين يذهبون للقصر.. لربما ينضم إلى من دخلوا جنة الأضواء.

٢

هكذا بدأ الشرقاوي جمع حاجياته.

لم يكن هناك الكثير بالطبع، فهو جاء بلا حقيبة. جاء بثياب قذرة نتنة وقداحة. إذن فعليه أن يجلب القداحة.

بالمناسبة أين هي؟ بحث كثيرًا في الظلام بلا جدوى. جرب كل شيء. هذا مأزق حقيقي لأنها قد تكون في أي ركن من البيت الواسع. هل سُرقت؟ هل هناك من أخذها؟

هناك ثلاثة غيره في البيت، وإن كان الاعتقاد بأنها سُرقت مبكرًا أكثر من اللازم.

قال لرامي إن القداحة غير موجودة.

قال رامي إنه لا يعرف أين هي.

ـ إذن ابحث عنها.. أنت تملك قدرة الإبصار.

رامي لا يحب تلك النبرة.. هل ثمة نغمة اتهام بسيطة في الكلام؟ هل توجد رائحة شك؟ هل يشعر بلمسة ريبة؟

ـ شرقاوي.. أنت أضعت القداحة فأوجدها!

ـ أنا لم أضيعها فأعدها.

ـ أنا لست لصًّا.

ـ وأنا لست معتوهًا.

لا أحد يفقد شيئًا بهذه الأهمية.. شيئًا يماثل عيني «السايكلوب» في الأساطير الإغريقية. العين الوحيدة التي يملكها. هذه أشياء تُسرق ولا تضيع. أشياء تؤخذ ولا تُعطى.

كذا بدأت الاتهامات وتصاعدت حرارة الجو.

كلاهما من الطراز القانط الذي لا يهتم بأي شيء كثيرًا، ولكن الاتهامات أشعلت النفوس فتصاعدت الكلمات وارتفع الصوت، ثم هتف رامي:

ـ صبرًا. الآذان مرهفة، ولعل الكل قد عرفوا قصة القداحة.

هذا يعني الموت.

فجأة شقت الصرخة السكون والظلام.

كانت قادمة من الخارج.

تحسس الشرقاوي طريقه للخارج، وكذا فعل رامي الذي اضطر إلى نزع العوينات قبل الخروج.

رائحة الهواء الطلق.. مصدر الصراخ.. لم يكن هناك من داعٍ

للمزيد من تحسس الطريق.. لقد كان هناك ضوء فعلًا.. ضوء خافت واهن متراقص لكنه كافٍ كي يريا.

وشهق رامي في رعب:

ـ فاتن!

* * *

ـ اركعوا للنور يا فاسقون.

اركعوا للنور أيها المخدوعون.

في البدء كان الكلمة.. وقال الرب فليكن نور.

افركوا عيونكم غير مصدقين، واشعروا بألم لذيذ شهواني في شبكيات عيونكم.

اخضعوا يا بلهاء.

حاولوا أن تغطوا عيونكم لكنكم لن تقدروا.

لن تقاوموا فضولكم.

الآن يسقط النور فترون للمرة الأولى وجوه أصدقائكم وحبيباتكم وأعدائكم.. ترون الشوارع والجدران الرطبة والصراصير الزاحفة وأبواب الجيران.. ترون القاذورات جوار الجدران، وترون أبعاد الأماكن وحقيقتها العارية.. الأماكن التي كان صدى صوتكم يتحسسها ثم يعود ليخبركم بالحقيقة، اليوم تخبركم عيونكم بها.

فاتن الحسناء.

فاتن التي شاخت.

فاتن التي ذبلت أنوثتها في الظلام.

كانت تقف هناك وحولها زحام من الناس المذعورين الذين يحجبون أعينهم بأيديهم، بينما هي في مركز الدائرة كأنها حاوٍ يقدم فقرة مثيرة.. كانت القداحة في يدها لكنها كانت قد أشعلت جذوة كبيرة عملاقة.. جذوة تمسكها في ذات اليد التي تمسك بها القداحة، بينما اليد الأخرى تمتد بصفحات من كتاب تشعلها من اللهب ثم تلقيها أرضًا.

يتراجعون في رعب غير مصدقين.

لو كانت النار جريمة فهم لم يروا سفاحًا بهذه اللامبالاة، ولو كانت النار كفرًا فهم لم يروا فاسقًا بهذه الجرأة.

بالطبع كان النور الذي تصنعه واهنًا صغيرًا لكنه الضوء الوحيد لذا بدا متضخمًا.. وسل عن هذا أي مخرج مسرح عرائس.. إن طاقة النور التي لا تتجاوز حجم صفحة الجريدة تتحول في الظلام الدامس إلى مسرح كامل.

تشعل النار في الأوراق وتطوح بها في كل صوب في الشارع وهي تصيح:

ـ هذا هو النور! تلك هي النار! هل ترون يا حمقى؟ هذا هو ما حرمتم منه! استمتعوا بها! انظروا لها! دعوها تحرقكم وتحرق

غباءكم وتخبطكم وجبنكم! هل ترون كيف تبدون؟ هل ترون شارعكم ومدينتكم؟ كل ما عشتم تتحسسونه ولا تعرفون عنه إلا ما تتيحه حاسة اللمس.. واللمس خادع يا أغبياء! هلموا!

صرخ رامي وهو يغطي عينه:

ـ فاتن يا بلهاء! كفي عن هذا!

إنها نشوة النيران المقدسة.. نشوة النور.. الذهول الذي أصاب المجوسي الأول أو كاهنة «دلفي» الأولى عندما رأت النار. النظرة المذعورة لرجل الكهف عندما هوى لسان البرق يحرق شجرة البلوط. النشوة التي أسكرت «نيرون» وهو يتأمل احتراق روما عبر كأس من النبيذ أذاب فيه لؤلؤة، قبل أن ينشد أشعار «فرجيل».

لن تتوقف.. أدرك الشرقاوي أنها لن تتوقف.

٣

اندفع رامي وسط المتزاحمين لينقذ زوجته.

مد الشرقاوي يده يستوقفه، فقد انتهى أمرها. غرقت سفينتها ولن يحقق شيئًا سوى أن يغرق معها. لقد صار انتشالها أمرًا غير وارد.

ـ لا تكن غبيًّا.

من جديد تشعل المزيد من الأوراق وتطوح بها.

ـ هلموا يا حمقى.. متعوا أعينكم قبل أن تموتوا!

هذه قاعدة يجب أن تتذكرها في تجاربك القادمة (لو كانت لك تجارب قادمة): ليس من الحكمة أن تترك القداحة مع امرأة أصيبت بحالة هستيريا بسبب الظلام.. لقد رأت القداحة وتذكرت نشوة النور.. بعد هذا تركا القداحة في الدار معها.. إن لم يكن هذا هو الغباء بعينه فما اسمه؟

ـ هلموا يا بلهاء.. تأملوا قبل أن ينفد الوقود وتنتهي الأوراق.

ومن بعيد سمعت صوت سرينة سيارات الشرطة.

ـ ابتعدي يا حمقاء!

كان منظرها مثيرًا للشفقة بثياب البيت الرثة وشعرها المنكوش الذي لم تعنَ به منذ عقود.. وبدا واضحًا أنها مأساة إغريقية توشك أن تحدث.. من الصعب أن تصدق أن هذه كانت امرأة جميلة يومًا ما، وحتى في هذه الظروف العصيبة تساءل الشرقاوي عن التعويذة الشريرة التي أوقعت رامي في غرامها يومًا.. أو جعلت دكتور مصطفى يتخلى عن وقار العلماء يومًا.

هذه ساحرة تتأهب لأن تُحرق.

كان رامي يقف متصلبًا لا يقدر على الابتعاد، فجذبه الشرقاوي بقوة وصرخ:

ـ تحرك!

صوت الكلاب يتعالى. الكلاب دائمًا. والحراس المزودون بالنظارات التي ترى في الظلام. قوة القمع قادمة تجري، وتهمة الهرطقة.

ثم إن كلبين عملاقين ظهرا من لامكان، وانقضا على المرأة فألقياها أرضًا.

بعض الناس لم يرَ الكلاب من قبل، وإنما سمعها وتحسسها، أما اليوم فالأمر مرعب بحق.

جذوة اللهب تتراقص من الأوراق المشتعلة وتوحي بالكارثة المقبلة. أنت لا ترى المشهد بوضوح.. فقط ترى رقصة الظلال ورجال الشرطة بنظاراتهم التي تجعلهم يبدون كحشرات عملاقة ذوات عيون مركبة.

لن يتركوها تموت.. لا بد من الاستجواب.. معها قداحة فمن أين جاءت بها؟ لن نؤذيك يا سيدتي.. فقط قولي لنا مَن زوجك؟ مَن هم الضوئيون؟ أين يجتمعون؟ حدثينا عن ماهر ونجوان ومها والغريب القادم من لامكان.. حدثينا عن النظارات المسروقة وعن رغبة الثورة.

رامي يركض مع الشرقاوي وهو يرتجف.. يدخلان عالم الظلام بعيدًا عن النيران.

هذا رجل فقد زوجته وابنه ومسكنه وحياته خلال دقائق. لم تُحدث قداحة مثل هذا القدر من الأذى في تاريخ البشرية كله. يواصل الركض في الظلام وقد وضع يده على الجدار الجانبي وهو يردد:

ـ يجب أن أموت معها.. هذا هو الحل الوحيد.. يجب أن ألقى نهايتي معها.

لكن شيئًا في طريقة كلامه قال إنه لا يبالي جدًّا في الواقع.

ـ اسمع.. لم يبقَ لك شيء في العالم. لقد انتهى أمرك. عليك وعليَّ أن نجد شقًّا في جدار نتوارى فيه. هناك شقة منحتنيها مها في شبرا وهي التي كنت سأنتقل إليها.. سوف نذهب لنتوارى

هناك. سوف نجتمع بالحمقى الذين يحسبون أن بوسعهم تغيير الكون.. الذين يملكون شهوة إصلاح الكون.

ولربما استطعنا أن نتسلل إلى عالم القومندان.. لربما استطعنا الذهاب للجبل.

قال رامي:

ـ بصمات آذاننا لديهم.. سوف يجدوننا.. هل حسبت أنهم سوف يسمحون لنا بالعمل فوق السحاب من دون بصمات أذن؟

إن لديهم نظامًا محكمًا برغم أنهم يتحركون في الظَّلام. فاتن سوف تتكلم.. فاتن سوف تخبرهم بكل شيء.. لديهم بصمة أذن الزوج. الفندق لديه بصمة أذنك.. هكذا يبدأ الخيط.. والأسوأ هي تلك الوخزة في إصبعك.

ثم الحقنة تحت الجلد.. مؤلمة!

* * *

تتفحص الممرضة الجهاز وتضيء شاشته، ثم تضع قطرة الدم على الشريط وتراقب الرقم. تتناول زجاجة الإنسولين ثم تسحب بضعة ملليمترات، وهي تدندن لحنًا من أغنية لعبد الحليم حافظ. تلوك اللادن، ثم تغرس الإبرة الدقيقة تحت جلد الشرقاوي وتضغط المحقن. ترى ما الذي يراه الآن؟

زوجة الشرقاوي قد ظلت تراقبه طويلًا، ثم قررت أن تعود للبيت

لتستريح قليلًا. من الواضح أنه لن يفيق أبدًا.. تعرف أنه لن يقدم لها مفاجآت سارة لو كان هذا بوسعه.

مشكلة الأولاد.. البيت.. العثرات المادية.. حساب المستشفى.. لو كان ينوي أن يموت فليفعل هذا حالًا قبل أن يدمر حياتها وحياة ولديها. أم هو موت وخراب ديار، كما كانت أمها تقول.

الإنسولين يتسرب عبر خلايا الشرقاوي، ليفتح بوابات الجلوكوز.

تغلق الممرضة الكشاف المعلق فوق الفراش فيسود الظلام. ثم تخرج لتلحق بكوب الشاي الذي ما زال ساخنًا في غرفة الممرضات.

* * *

ما زالت ذراع الشرقاوي تؤلمه.

حتى عندما اجتمع الباقون في ممر الفئران ـ مها ونجوان وماهر وصبري ـ كان ما زال يتحسس موضع الإبرة.. عندما جاءوا ليعزوا رامي على فقد حياته كلها. عندما جاءوا كانوا يعدون بالانتقام. رامي يطلق عليهم «الخلية» لكن هذا على سبيل السخرية طبعًا، فليسوا أكثر من أفراد يحبون الكلام في الظلام، كمن يجلسون على أي مقهى، لكنهم على الأقل يضمنون ألا يسمعهم البصاصون.

قالت نجوان بلهجة تقريرية:

ـ هناك خلايا أخرى.. هناك خلايا في مصر وكل دول العالم.. يومًا ما سوف نلتحم ونصنع ثورة واحدة.. سوف نقهر الظلام..

سوف نعيش جميعًا على قمم الجبال، وننعم بالنور أو نقهر سحابة الغبار العملاقة.

ـ هذا حلم قد يتحقق بعد ألف عام. لن أكون هنا لأنعم بالنور.

لم يكن رامي ممن تفتنهم فكرة أن يكون لبنة يصعد عليها البناء الذي يضع اللبنة التالية. لن يجديه هذا في شيء، كحماقة مَن يخبره أن جثته ستتحلل وتصير ترابًا، وهذا التراب سوف يمتزج بالفخار ليُصنع منه دن خمر جميل، ربما تنتشي به حسناء. هذا لا يعزيه في شيء. أن تنمو سنديانة عملاقة من ترابك.. هذا ليس عزاء.

تهمس مها في أذن الشرقاوي وأنفاسها تتهدج:

ـ أعرف أن الأمور تدلهم والحصار يتزايد، لكنها الطريقة المثلى كي تتورط في حبال مشاكلنا، وأعرف يقينًا أنك ستتطور وتنمو وستقودنا جميعًا إلى الخلاص.

ـ كيف؟

ـ لا أدري كيف.. لكنك ستفعلها. قدومك من لامكان لنجدك بيننا فجأة يحمل رسالة غريبة. أحيانًا أعتقد أنك ستخلصنا ثم تصعد للسماء حيث تنتمي.. سوف نفيق لنجد أنك اختفيت.

ضحك الشرقاوي كثيرًا وهو يفكر في مدى حماقة الناس وسذاجتهم. أحيانًا نسخر ممن يتوقعون منا الأفضل، ثم نكتشف أنهم كانوا على حق وأننا أفضل مما تصورنا. لكن الأمر يختلف هذه المرة.. هم مخطئون وسيظلون كذلك. السبب أنك ضئيل

جدًّا، واهن جدًّا، كأنهم في عالمك القديم يطالبونك بأن تقهر الولايات المتحدة.

ماهر راح يلوك التبغ كعادته، فتعالى صوت المضغ في الظلام، وبين المضغات اعتصر كتف نجوان كأنه يعتصر منها الثقة والثبات وقال:

ـ حاليًّا لا أرى سبيلًا لاستمرار حياتكما إلا الذهاب لما فوق السحاب.

ـ ولكن كيف؟ سوف يفحصون بصمات آذاننا.

ـ هذا لا شيء.

قالها في ثقة:

ـ نحن نصنع آذانًا مزيفة من الخشب، وهذه الآذان تحمل بصمات لا تمت لكائن على ظهر الأرض.. إنها تحيرهم. اللعبة الأعقد هي أن تستخدمها في الظلام عندما يضغطون قطعة الصلصال على أذنك. وهناك مقامرة أخطر هي ألا يراك واحد ممن يضعون النظارات الكاشفة وأنت تفعل هذا. لكن المخاطرة تستحق.

ـ ومن أين تأتون بقوالب الآذان هذه؟

ـ الإيطاليون!

وبصق التبغ الذي ملأ فمه.

* * *

أغنية نجوان

قال العراف: هناك غد..

قالت الأغنيات: هناك غد..

قال الأنبياء: هناك غد..

قالت أحلامي: هناك غد..

وعندما جاء المغول يحرقون القرى، ويكومون جثث الأطفال

قالوا إنه لن يكون غد

حقًّا لا أصدق..

لو أرادوا ألا يكون غد فعليهم أن يحاربوا

كل العرافين.. كل الأنبياء.. كل الأغنيات.. ربما استطاعوا قهرهم

لكن أحلامي ستهزمهم.. ويكون غد.

من قصائد نجوان فريد النشرية

٤

الإيطاليون كذلك لديهم خلايا في ممر الفئران.

لديهم ثائرون لا يعرفون بعضهم.. خلايا منفصلة عن بعضها.. متباعدة.. وهذه الخلايا سوف تلتحم يومًا ما في صورة جسد عملاق. هذا الجسد العملاق ظمآن إلى النور.

الإيطاليون كذلك عندهم ماهر ونجوان ورامي، لكن ليس لديهم شرقاوي. ليس لديهم ذلك الأمل الخافت في منقذ قادم من وراء الغيوم. إنهم مضطرون لأن يخلقوا حلمهم الخاص بطريقتهم الخاصة.

كانوا قد تعلموا أن هناك جهاز كمبيوتر عملاقًا كلي القدرة هنالك فوق الجبل، وهذا الكمبيوتر يستطيع أن يراجع بيانات الجميع وبصمات أذن الجميع. ثمة جهاز يستطيع قراءة التجاعيد والثنيات وبوسع الجهاز أن يعرف كل شيء عنك، لهذا بدأوا نحت آذان زائفة من الخشب أو يصنعونها من البلاستيك، وهي قادرة على تضليل السلطات بلا شك.

أي فحص في الظلام يسمح لك بأن تقدم الأذن الزائفة لتؤخذ بصمتها، بينما لو كان هناك من يرى فلن تستطيع ممارسة تلك التقنية.

* * *

مرحبًا بك أيها القارئ.. لا أعرف اسمك يقينًا لكني أقدم لك «فيتوريو».. «فيتوريو» ماذا؟ لا أعرف بقية اسمه للأسف. لن أستطيع تقديمك له فأنا لا أعرفك.. ما أهتم به هو أنك لا تعمل مع القومندان ولا تضع نظارات الرؤية الليلية اللعينة.

قليلون هم من رأوا «فيتوريو». السبب هو الظلام الدامس، لكن من يعرفونه في الماضي يعرفون أنه أقرب إلى البدانة وقصر القامة، وله عين واحدة تالفة. لكن من يسمعون صوته فقط يشعرون أنه قوي شديد الوسامة. هو لم يكن يملك نظارات رؤية ليلية لأن القيادات الأكثر أهمية تستأثر بها.

«فيتوريو» ثائر قح. غاضب على الدوام، وُلد رافضًا كأنه رمز لمقطع: «المجد للشيطان. من قال لا في وجه من قالوا نعم». في هذا يذكرني كثيرًا بماهر.

«فيتوريو» عشيق «باولا».. منذ أعوام قابل الفتاة التي يتم إعدادها لتكون راقصة.. لا يعرف شكلها يقينًا لكنه أدرك من صوتها.. من بشرتها الناعمة.. من شعرها الصقيل كأنه معدن.. من لمسة أناملها الرقيقة.. أدرك أنها جميلة.. جميلة حسب تعريفات الجمال لدى الأقدمين.

«باولا» كانت هناك فوق السحاب. وعادت.

كانت عندها قصص لا تنتهي وحكايات لا أول لها ولا آخر. قد رأت الجميع وعرفت كل شيء. كانت عند قمة العالم وكادت تلامس الشمس.. بل كادت تقتطفها وتحملها للبؤساء الرابضين في الظلام. رأت وجهها وما كانت لتراه أبدًا لولا تلك الرحلة.

لكن هناك قصصًا أكثر أهمية.

كانت قد رأت قلعة القومندان فوق السحاب. رأتها في النور.

عرفت الجنرالات جميعًا. ولو استطاعت أن تبقى هناك لخانت الثوار ولألقت قصة حبها في النهر لتغرق. لكنهم لم يريدوا بقاءها هناك، من ثم قررت أنه لا دور لها سوى أن تكون ثائرة. لا يتعلق الأمر بخيانة أو إخلاص.. لو منح أي منا هذه التجربة لاختار النور مهما كان الثمن. من السهل أن نتفلسف ونحن نجلس على الشط نبلل أقدامنا بمياه الغضب، لكن لا نجسر على السباحة. الثائر الذي لم يُختبر يظل ثائرًا.

كان «فيتوريو» مشتاقًا لمعرفة التفاصيل.

في الظلام مد يده يتحسس الشكل المصنوع من الصلصال.

هناك مرتفع هنا ومنخفض هناك.. هناك فجوة.. هناك ممر ضيق بين جبلين.. ثم توقفت أنامله عند مجموعة من البروزات التي صنعت من أعواد ثقاب متلاصقة، وقال:

ـ من أين جئت بالثقاب؟

ـ أحب الاحتفاظ بهذه الطرائف.

عاد يواصل التحسس ثم تساءل:

ـ إلام يرمز هذا؟

ـ أعتقد أنه يرمز للصواريخ.

توقفت يده عند برج مرتفع.. وعاد يسأل:

ـ هذا.. ما هو؟

مدت «باولا» يدها حيث أشار، وراحت تتحسس ثم قالت:

ـ لا أعرف.. لكنه شديد الأهمية.. هناك حراسة مكثفة من حوله.

قال «فيتوريو» وهو يمضغ بعض التبغ كعادته:

ـ على كل حال أنت أجدت استعمال عينيك يا «باولا».. نحن الآن نفهم كل مخارج ومداخل هذه القلعة.

قالت في رضا:

ـ الخبر الأهم هو أنهم بحاجة إلى أعداد أكبر من العمال.. وهؤلاء العمال سيكونون من عدة بلدان.

ـ وهذا يعني أننا سنكون هناك.

لقد كان «فيتوريو» يعرف كل شيء ويفعل كل شيء.. ورث هذا كله عن جده الذي كان معارضًا قويًّا وقتله الفاشيون.. وعندما ساد الظلام ظل «فيتوريو» مقاتلًا عنيدًا.. هي لا تعرف كل ما يعرفه لكنها تعرف أنه همزة الوصل بين الضوئيين في أكثر من مكان.. برغم أن

العالم صار شاسعًا مترامي الأطراف كما كان منذ ألف عام، فإن هؤلاء القوم وجدوا أساليب لتبادل المعلومات.. هناك الطريق البري وهناك أجهزة اللاسلكي الواهية التي تعمل ببطاريات بيولوجية، وهناك الحمام الزاجل.. سلالات الحمام الجديدة التي ولدت عمياء، لكنها تعلمت الاعتماد على حواسها.. في عالم كهذا تجد المخلوقات طرقًا غريبة.. النحل كان قد بدأ يضل طريقه لأنه لا يستطيع رسم زاوية مع قرص الشمس كما كان يفعل للعودة إلى خليته أيام النور.. ظهرت سلالات جديدة تعتمد على حواسها.

لم يكونا وحدهما.. فمعهما شاب يدعى «ستافرو» وشاب يدعى «ريكاردو» وفتاة تدعى «سيمونيتا».. الشابان يضعان النظارات الليلية طبعًا، فمن الوارد أن تكتشف أنك تتآمر في وجود عشرة رجال شرطة من حولك.

لم يكن «فيتوريو» يثق بالإيطاليين كثيرًا برغم أنه منهم.. كان يعتقد أنهم لا يتمتعون بالصلابة ولا يمكن الاعتماد عليهم.. «موسوليني» العجوز خذل «هتلر» مرارًا حتى آمن هذا الأخير أن الإيطاليين شعب خالٍ من إرادة الحرب أصلًا.. يبدو أن الرومان لم يتركوا شيئًا من دمهم في عروق الأحفاد.. لو تمت هذه العملية فلا بد من الاستعانة بشعب قوي الشكيمة.. وكان يثق بالألمان من بين شعوب أوروبا.

قال «ستافرو»:

ـ كل شيء يوحي لنا بقرب اللحظة.. هذه أكمل صورة مجسمة لقلعة الجبل ـ ثم وضع يد «فيتوريو» على بروز في المجسم ـ

هذا الجزء المبهم الذي يحرسونه بعناية.. أريد معرفة ما فيه.. كل نظام محكم له «كعب أخيل»... فهل هذا هو «كعب أخيلهم»؟

قالت «باولا»:

ـ وكيف نعرف؟

ـ سنعرف عندما نعرف! والآن ليتحسس كل منكم هذا النموذج بعناية.. ليحفظه عن ظهر قلب.. بعد هذا سوف ندمره لأن وجوده معنا كافٍ لإعدامنا بلا محاكمة.

كل شيء في هذا العالم يكفي لإعدامك بلا محاكمة، ربما باستثناء التنفس. ولا شك أنهم سيمنعونه عما قريب.

الفرار

١

سأعيشُ رَغمَ الدَّاءِ والأعداءِ   كالنِّسر فوقَ القِمة الشَّمَّاءِ

أرنو إلى الشَّمسِ المضيئة هازئًا   بالسُّحبِ، والأمطارِ، والأنواءِ

لا أرمقُ الظلَّ الكئيبَ، ولا أرى   ما في قرار الهوة السوداءِ

(...)

أما أنا فأجيبكم من فوقِكم   والشمسُ والشفقُ الجميلُ إزائي:

مَنْ جاشَ بالوَحيِ المقدَّسِ قلبُه   لم يحتفِلْ بفداحة الأعباءِ

«نشيد الجبار: هكذا غنَّى بروميثيوس»

أبو القاسم الشابي

* * *

سمع الأستاذ الهديل فمشى نحو النافذة وهو يواصل الشرح:

فلما عرفت الدار قلت لربعها   ألا عم صباحًا أيها الربع واسلم

قال أحد الصبية:

ـ هناك حمامة على النافذة يا سيدي.. أعرف هذا الصوت.

قال في ضيق:

ـ حتى لو كانت طائرة فلا دخل لك بهذا.

ومد يده يتحسس حتى استطاع أن يتلمس ريش الحمامة.. استسلمت لأصابعه في حنان فمد يده يبحث عن الطوق حول ساقها وانتزع اللفافة.. كأنما شعرت الحمامة بامتنان لتحررها من هذا الثقل فردت جناحيها وحلقت أو هذا ما شعر به.

كانت اللفافة من الورق المقوى وقد امتلأت بالثقوب.. ثقوب تم رسمها بالإبرة وبرداءة.. في هذا العالم لم يعد هناك علم اسمه الخط، وإنما أنت تقيِّم رموز «برايل».. هل هي منسقة أم مبعثرة.

تحسس الثقوب.. كانت الرسالة قصيرة لكنها واضحة.

فرغ من تحسس الرسالة ثم مزقها إلى قطع صغيرة وهو يواصل كلامه:

سئمت تكاليف الحياة ومن يعش   ثمانيـــن حولًا لا أبـا لك يســأم

* * *

ـ أنت تعرفين يا مها كيف تجعلينني أتحمس.. تجعلينني أعتقد أنه لا بأس بي.. تجعلينني راضيًا عن نفسي متضامنًا معها.. أنا وأنا صرنا صديقين بفضلك.

أقضي اليوم في هذه الشقة المظلمة أتذكر عالمي القديم. أتحسس الجدران موقنًا أنني مت وأن هذا هو القبر. الحر بلا مراوح والظلام

بلا أضواء.. أتذكر زوجتي وحياتي وحيرتي الميتافيزيقية ومحنتي الوجودية، وفي المساء أسمع دقات على الباب.. أكاد أن أرى تلك اليد الرقيقة ناحلة المعصم. ثم أفتح الباب فأسمع الصوت المخملي. مها هنا.. لست وحيدًا.

ـ هل لديك طعام؟ أنا جلبت لك بعض شطائر الجبن وزجاجة عصير. أمي تصنع الجبن في البيت، والخبز نخبزه في فرن بيولوجي.. أعتقد أنك ستحب هذا المذاق.

هيه؟ أنت محموم؟ ترتجف يا صغيري.. لا تخف.. تعالَ أضمك بقوة. ثمة شيء فيك يحرك مشاعر الأمومة عندي حتى لأوشك أن أعطيك حمَّامًا بصابون معطر وأدفئك وأهدهدك حتى تنام.

تبدو لي هشًّا جدًّا.

أحيانًا لا أصدق أن هذا الطفل الوديع معدوم الخطر يمكن أن يكون هو مَن ننتظره، لكن حدسي يشعرني أن لك شأنًا عظيمًا.. الأم ترضع طفلها الواهن حتى يصير بطل مصارعة أو غازيًا... أنت في رحلة النمو كأي طفل آخر. ولسوف تصير عظيمًا قادرًا.. سوف تحررنا.

ـ كلا.. لا تراوغي بشفتيك فأنا أبحث عنهما في العتمة.. شفتاك يمامتان تهربان من شفتيَّ، ومن العسير أن أجدهما في الظلام حتى لو حاصرتك بذراعيَّ.. هلمي.. أريد أن أتوحد بك.. أشعر بالخوف من الظلام فهبيني الاطمئنان.

لهاث...

مها.. هل يوجد اسم أجمل من هذا؟ عندما تصير أذنك هي ما يقودك في ظلمات العالم، فأنت تدرك سحر الأسماء. هل يوجد حرف يخرج من الروح مباشرة مثل حرف الهاء؟

ـ غدًا سوف نذهب إلى هيئة الموارد البشرية، حيث نقدم طلبين للعبودية في قصر القومندان.. أنا سوف أقبل بسهولة لأن سجلاتي عندهم. كنت هناك من قبل.. سيأتي معنا رامي وماهر ونجوان.

ـ ولماذا؟

ـ لأن خير مكان للتواري من الذئب هو عرينه.. لقد خرجوا للظفر بنا ومن الجلي أن الزوجة قد تكلمت كثيرًا جدًّا.

كان يتحرق شوقًا لرؤية تلك الجنة الموعودة التي قيل له إنه لم يرَ مثلها يومًا، وفي الآن ذاته يخشى المخاطرة. قالت له إنه سيكون في أمان إذا نفذ التعليمات بدقة.

ـ غدًا نذهب.. وبشيء من الحظ الحسن سوف نعبر البوابة، ولا تشمنا الغيلان.

٢

رائحة الصباح المبلل بالندى. لا تغريد عصافير لأن العصافير لا تزدهر في الظلمات. لكنك قادر على أن تجد بعض الانتعاش والتفاؤل. حتى في ممر الفئران يمكن أن تشعر ببعض التفاؤل.

تمشي مع مها ورامي بخطوات سريعة واثقة لأنك تعرف أنهما يحفظان الطريق. وفي منتصف المسافة تسمع صوت ماهر وصوت نجوان، وثمة رائحة طعام. لا بد أنهما ينهيان طعامهما.

ـ مستعدون يا شباب؟

ـ مستعدون ومتوترون ومتوجسون ونتوقع الأسوأ.

ـ الحذر يمنع القدر في عالمنا.

يستمر المشي، ثم من بعيد يأتي صوت ينادي في مكبر صوت:

ـ هيئة الموارد البشرية من هنا.. هيئة الموارد البشرية من هنا.

الصوت يقترب.. ثمة عدد لا بأس به ممن تصطدم بهم هنا وهناك،

وصخب وزحام. حتى تذكر الشرقاوي الطوابير أمام مكاتب العمالة في عالمه. أكُل هؤلاء يبغون أن يكونوا عبيدًا؟

ـ بل يبغون النور.. من أجل النور سيبيعون كل شيء بدءًا بعرقهم وانتهاء بكرامتهم.

لم يكن الانتظار طويلًا. بعد قليل شعر الشرقاوي بأن الطريق ينفتح أمامه.. هناك ممر مغلق له رائحة حكومية كئيبة. لا بد أن هناك ملفات ودفاتر فئرانًا. رائحة الوقود البيولوجي الكريهة فلا بد أنهم يعدون به الشاي.

ثم سمع في الظلام صوت امرأة تتكلم بعدوانية (حكومية) باردة، لها رائحة أحبار الأختام:

ـ اسمك وسنك؟

ـ سيد الشرقاوي.. أربعون عامًا.. شبرا.

لا خطر من ذكر بياناتك.. لا أحد يعرفها.. لم يفطن من قبل لهذه الدعابة.

ـ ماذا تجيده؟

ـ أجيد العمل الذي يطلبون مني أن أفعله.

ـ هل لديك تحفظات دينية أو صحية؟ هل أنت قادر على تسلق ٢٠٠ درجة من السلم؟ هل تقبل تربية الخنازير وأنت مسلم أو يهودي؟ هل تغضب على مَن يهين الصليب وأنت مسيحي؟

ـ لا توجد تحفظات.. أقبل أي شيء.

عبارة محفوظة هي لكل من يتقدم. تذكر في سخرية طلب الحصول على تأشيرة من الولايات المتحدة أو دول الاتحاد الأوروبي: «هل تشجع الإرهاب؟».. «هل تنوي التخريب أو تنفيذ عمليات إرهابية؟».. كأن الإرهابي سيقول في خجل إنه كان ينتوي ذلك. لا أحد يعترف بأن لديه موانع دينية، لكنه كان صادقًا جدًّا هذه المرة.. هذا من أصدق ما قال في حياته.

ـ تحرك.

مشى في ممر آخر وهو يسمع من خلفه نجوان ترد على أسئلة مماثلة.

فليكن ما يكون.. كان في حالة من الاستسلام وقبول المصير جعلته في هدوء تام. لم يتوتر أو يصبه الذعر.. لن يكون هناك أسوأ.

هنا يبدأ الكشف الطبي. سمع مَن يطلب منه أن يتجرد من ثيابه، ثم راح أحدهم يمرر سماعة على صدره ويقرع على بطنه. وسمع نجوان من خلفه تكلم شخصًا ما يبدو أنه يفحصها. وبالطبع مها. في الظلام لا توجد خصوصية أو هيبة للجنسين. لا يحتاج لخيال كبير كي يدرك أن هناك من يضع نظارة الرؤية ويراقب في استمتاع مهرجان العري هذا.. هذه طبيعة الأمور.

ـ ارتدِ ثيابك.

بدأ يلبس ثيابه دون براعة.. ثم شعر بالصف يدفعه إلى الأمام من جديد. كان يدرك ما سيحدث فأخرج القالب الذي أعطاه إياه ماهر

والذي ينحته الإيطاليون، فوضعه على صدغه بقرب الأذن اليمنى.. سمع من يأمره بأن يثبت ثم انضغط شيء على القالب.. بعدها غيب القالب في جيبه بسرعة وهو يتنهد.

تحرك الطابور فأدرك أنه أفلت.. سوف يقبلونه على الأرجح ما لم يكن هناك خائن بين الثوار حذرهم ممن يدعى الشرقاوي.

ابتعد ثلاث خطوات وسمع مَن يصدر الأمر لنجوان.

فجأة سمع من يصيح:

ـ انتظر.. هذه المرأة تستخدم قالبًا زائفًا للأذن!

هنا فهم الشرقاوي أن الخطر الذي حذر منه ماهر قد حدث فعلًا. لم يكن الرجل ذو العوينات موجودًا منذ لحظة. لعله كان يفرغ مثانته ثم عاد للغرفة في لحظة حرجة، أو لعله يتنقل بين الغرف بشكل عشوائي. المهم أنه رأى نجوان غارقة في الخطيئة. رآها وقد تلوثت يداها بالدم.

سمع الشرقاوي صراخها.. يمكنه تخيل جسدها الضخم العملاق كجسد إلهة آشورية بين أيديهم وهي تحاول التملص. بالطبع نحن نعرف أن الصورة خاطئة وأن نجوان ضئيلة الحجم أقرب لصبي مراهق. كانت تصرخ وتحاول التملص.

ـ اتركوني عليكم اللعنة. أنا لم أقترف خطأ! افعل شيئًا!

هل كانت تخاطب رامي أم تخاطب ماهر؟ لا أعرف.

٣

أغنية نجوان

عندما أغيب وراء المغيب
فلا تقولوا إنني خضعت.
لا تقولوا إنني تهللت للظالمين أو طلبت رأفة غير مستحقة
إنكم إذا تقولون هذا
تقتلونني مرتين
تقتلون جسدي ثم تحرقون ذكراي

من قصائد نجوان فريد النثرية

* * *

أصابه الشلل.

الصراخ والمقاومة، ثم حفيف الأجساد في ممر الفئران.. هذا جسد يُقاد وسط زبانية.. هذا صوت ركلات وخمشات.. هذا شهيق وغضب ممتزج بالدموع.. هذه روح تتحدى وتقاوم.

حتى لو هب ليدافع عنها، فكيف يفعل ذلك في كل هذا الظلام؟ لن يضيف شيئًا سوى أن يصير القتلى اثنين بعد واحد.. سوف يلقى أشنع المصير معها.. سوف يتمزق بلا سبب.

وفي الظلام سمع من يصيح في حزم:

ـ مَن يرافقها هنا؟

كأن هناك أحمق سوف يعترف بأنه يرافقها.

ثم سمع الصوت يدنو منه أكثر، ومن الواضح أنه يوجه له الكلام:

ـ هيه.. هل تعرفها؟

ـ لا.

ـ هل تعرفها؟

ـ لا.

ـ هل تعرفها؟

ـ لا.

لم يصح الديك هذه المرة، ونجوان لم تكن المسيح. كانت مجرد ثائرة شجاعة ذات ميول ماركسية ورغبة عارمة في الموت. وقد نالت ما تريد. إذن لماذا يشعر بهذا الألم العاصر في قلبه؟ يقول لنفسه: لو تكلمَ فلسوف يلقى نهاية مرعبة.. لو صمتَ لعاش ولرأى النور.. لكن أي حياة يعيشها بعد ذلك! أن تضطر لمرافقة هذا النذل الذي هو أنت؟ أن تتذكر كل مواقف الخونة والتخلي عن الرفاق.

عرف هذا كله، وعرف أن عقله سيعاقبه بقسوة فيما بعد، لكنه ظل صامتًا.

ربما بشيء من الحظ لن تذكر اسمه.. لن تذكر اسم ماهر.. لن تذكر اسم رامي.. لن تذكر اسم مها.

تماسكي يا فتاة.. لا تتكلمي.. لا تثرثري. لا جدوى من ألا يموت المرء وحيدًا.. كلنا في النهاية وحيدون في القبر، فلن يدفنوا ماهر جوارك لو وشيت به.

في الظلام الدامس سمع صوت ماهر يشهق.. ثم ينتفض:

ـ نجوان! سوف أنــ...

مد يده نحو مصدر الصوت فوجد معصمه. ضغط عليه بقوة ثم قرب فمه من حيث أذنه وهمس:

ـ تماسك.. لن تفيدها في شيء إذ تموت معها.

كان شهيق الآخر يتعالى.. الإيقاع يتزايد.

* * *

إعدام دون محاكمة

وعندما شموا الهواء الطلق، أدركوا أنهم أفلتوا.. على الأقل هذه المرة.. سمع صوت رامي وصوت مها.. هم فقدوا محاربًا واحدًا عاثر الحظ.

قال لماهر:

ـ هل بوسعنا أن نجلب لها محاميًا؟

ـ جرائم النور وخرق الظلام يمنع فيها الاستعانة بمحامٍ.

ـ ومتى يعدمونها؟

ـ ربما بعد أيام أو شهور أو...

ـ الآن!

دوى الصوت من لامكان فارتجف الجميع. الصوت القاسي الحكومي الذي له رنين الأقدار. وقد أدركوا بسهولة ما سيحدث وما سيقال:

ـ تعالوا. تعالوا واسمعوا مصير الهراطقة.. تعالوا واسمعوا نهاية المجدفين!

تصلبوا من الرعب بينما واصل الصوت:

ـ بأمر القومندان. الهرطيقة نجوان أسعد قد ارتكبت جريمة التزوير باستخدام بصمة أذن صناعية.. لقد ظفرنا بها ولسوف تلقى عقابها المستحق. بأمر القومندان تقطع أذناها وترغم على التهامهما، ثم يسلخ جلدها حية.

سمع الشرقاوي مها تشهق.. وسمع صوت ارتطام. فقدت الوعي. بهذه السرعة؟ هل كان الردع ضروريًا لهذا الحد قبل أن يفروا؟

همس في أذن ماهر الباكي:

ـ تماسك.. سينتهي الأمر سريعًا.

ـ بالعكس.. لن ينتهي سريعًا أبدًا.. هذه أبطأ ميتة لديهم.

سمع الناس يهللون ممتدحين العدالة الناجزة، وهلل الأطفال فرحًا ترقبًا لهذه التسلية الشائقة التي لا تُقابَل كل يوم. خطر للشرقاوي أن الثورات لا تقوم ضد الطغاة، بل تقوم ضد البلهاء أولًا. عندما يصير ثلاثة أرباع الشعب ضدك، وقد آمنوا بأن الطغيان أمر إلهي، وأنهم أسعد حالًا تحت سلطة أبوية غاشمة.. عندها يصيرون متأهبين لرجمك. ساد صمت مترقب لذيذ، وفجأة دوت صرخة شنيعة.. صرخة لا يمكن تصور أنها خرجت من شفتي نجوان. نجوان الصلبة العقلانية المتماسكة.. نجوان التي لا تصرخ حتى وهم يقطعون أذنيها، لكنها فعلت ذلك.

ـ اللعنة عليكم وعلى أحفاد أحفادكم.. أنا أزدريكم جميعًا.. أموت وعلى شفتيَّ بسمة احتقار لن تقدروا على مسحها. فلتعلموا أن بعد الظلام نورًا، وأنكم لن تنتصروا بينما العالم كله يكرهكم.. هناك غد يا بلهاء.. هناك غد.

لكن الغد كان قد تلاشى بالنسبة لها لأن صرخة أخرى دوت.

كان رامي والشرقاوي يمسكان بمها دون أن يعرف كل منهما أن الآخر يمسك بها. كانت تنشج في هستيريا وكان ماهر يقول كلامًا مفككًا غير مترابط. قال الشرقاوي همسًا:

ـ فلنبتعد! وليرحمها الله.

هنا دوت صرخة شنيعة أخرى طويلة.. طويلة.. لن تنتهي أبدًا حتى امتزجت بالتصفيق والصفير من المستمعين المستمتعين، وهم يرددون عبارات الامتنان للقومندان ورجاله. على الأقل قدم لهم القومندان هذا السيرك الصوتي مجانًا، كما كان القائد الروماني الذي يؤمن أن الناس لا تحتاج إلا للخبز وألعاب السيرك.

وكان أربعة الثوار يبتعدون مهرولين قبل أن تدوي الصرخة الرابعة.

* * *

أغنية نجوان

إنني سوف أكـ...

من قصائد نجوان فريد النثرية

نحو الذروة

١

أعرف شيئًا واحدًا هو أن كل مصادر الطاقة لا تعمل إلا في قلعة القومندان لأنها فوق مستوى الظلام.. هناك الشمس والنار والكهرباء وطاقة الوضع وطاقة الحركة والطاقة الذرية.. كل شيء.. كل طاقة سمعت عنها في كتب الفيزياء تعمل بكامل قواها.

كلم الأستاذ شوقي الدكتور ميخائيل في صيدليته.. كلم الدكتور ميخائيل المهندس حلمي في مكتب الإنشاءات الخاص به.. كلم المهندس حلمي الحاج عبد السلام أبو يحيى في داره.. كلم هذا الأخير شريف في المطعم.. كلم شريف رامي وهو يتناول الغداء عندهم.. أبقِ رأسك منخفضًا.. لا تجعله واضحًا.. لو عرف الناس لمزقوك قبل رجال الشرطة.

هكذا اكتملت الدائرة.

لقد عرف الجميع ما يجب عمله.

غدًا هو بداية الحل أو نهاية الجميع.

* * *

يتلوى الشرقاوي وتتحرك قدمه من تحت الملاءة، كأنه يحاول أن يسبح.

تنظر له الزوجة في كراهية، وتغلق المصحف الذي تقرأ منه، وتتساءل: لماذا لا يموت أو يفيق؟ لقد طالت الدعابة كثيرًا. الرجل الذي يحترم نفسه لا يترك زوجته معلقة للأبد. كان طيلة حياته غير راضٍ.. لا يشعر بالاكتمال ويبحث عن مبرر لوجوده.

سألتها الممرضة إن كانت تشاركها بعض الشاي والبقسماط، فهي لم تصب أي طعام منذ ساعات. بدت لها الفكرة محببة، فوضعت المصحف على الكومود ونهضت نحو غرفة المراقبة.

رشفت رشفة من كوب الشاي الأسود الذي قدمته لها الممرضة.. «فريشتتتت»!

* * *

الصوت ذاته خرج من شفتَي ماهر لكنه كان يشرب الكونياك من كوب زجاجي خبيث الرائحة. لقد احتاجوا إلى زجاجة خمر كاملة كي يُسكتوا صرخات نجوان في أذهانهم.. النتيجة هي أنها صارت تتردد مصحوبة بالصدى، وكما يحدث في السينما. الخمر لا تطفئ الأحزان الثقيلة بل تشعلها أكثر. درس يتعلمونه بعد فوات الأوان.

في الظلام كان ماهر يبحث عن ثغرها ويقتنصه. يشعر بالشفتين الحائرتين تنضغطان. يشعر بالأنفاس الحارة. تُرى كيف يبدو وجهها الآن؟ بعد السلخ لا بد أنها تغيرت كثيرًا.. بعد السلخ نتشابه جميعًا.

ـ أحيانًا أشعر أنني أحبك.

ـ الحب عاطفة تملك بدائية. أتضايق جدًّا ممن يلوكون الوهم كأنه القات.

يضحك ويهتز صدره.. ثم يمتزج هذا بالبكاء.

مها كانت في حالة ضياع تامة، وكانت لا تكف عن النشيج. لقد كانوا أطفالًا في النهاية، وكانت نجوان هي عقلهم المدبر والأقرب إلى الأم بصوتها الثابت وغضبها المقدس الدائم.

بدا لهم جميعًا أنهم تركوا جزءًا منهم على الشط قبل أن يبحروا، وبالنسبة لماهر فقد ذكره الموقف بالمفهوم التاريخي للخيانة. «أنت أسلمتها.. كان عليك أن تموت معها. سوف تحتاج إلى أن تضرب رأسك في الجدار ألف مرة إلى أن يزول هذا الألم الممض».

ـ فلنتذكر.. ما كان بوسعنا أن ننقذها وإلا هلكنا معها.. كان علينا أن نفعل هذا، لكننا قد أقسمنا على الانتقام.

هذه كانت من الشرقاوي حتمًا.. في نفسه كان موقنًا من أنه لا جدوى.. نجوان ماتت عبثًا.

في الظلام قال رامي وهو يتنفس بعسر:

ـ نحن نلهو.. نضرب الرؤوس في الجدار بلا جدوى. كل كائن على ظهر الأرض يكره القومندان، وكلهم عاجز عن عمل شيء، فعلامَ تترك جنون العظمة يتملكك؟

- سنموت ونحن نحاول.

- الهراء الوجودي التقليدي.

وساد صمت ثقيل بينما كان ماهر يلوك التبغ وينفخ من منخريه كثور.

كانت هذه نقطة خطرة. ماهر يريد الموت ويشتهيه بقوة.. التعامل مع مشروع شهيد يشتهي الموت لعبة جد خطيرة. يمكنه أن يدمرك في أي لحظة أو يؤدي لافتضاح أمرك بسهولة. الأبطال يحترقون ويحرقون من هو معهم.

لكنه كان يعرف أن عليه المضي قدمًا في ممر الفئران.. لا سبيل لأن يتراجع، وإلا فلسوف يظفرون به. في هذا العالم يمكن لرائحة أفكارك أن تفضحك كما تفعل غازات البطن بالضبط. فلتتماسك على الدرب يا صاحبي. لا تتراجع.

هل هذه حياتك الحقيقية؟ تلك الذكرى المبهمة عن مهندس وزوجة وأطفال وفقدان معنى لكل شيء. هل هو كابوس تراه أثناء غفوتك؟ لربما هي حاجتك للنور.. البصيص الوحيد وسط هذا الظلام الدامس هو هلاوس. أنت هنا منذ البداية وفقدت ذاكرتك.

لربما أنت ميت؟ لربما هذا هو عذاب القبر الذي كنت تقرأ عنه؟ كل هذه أرواح تنتظر يوم البعث.. وتسلي نفسها بتخيل أنها ما زالت حية؟

حاول أن تغرق همومك وحيرتك في هذا المشروب. مَن يدري؟ قد تغرق أنت أيضًا وينتهي هذا كله. جلس على الأرض متكومًا

فجاءت مها تتوارى في جسده كقطة مذعورة. رائحة عطرها القوية التي اعتادها وأحبها. كأنها تضع علامة مميزة على روحها لا يمكنك أن تخطئها معها.. ادفن أنفك في شعرها.. فليذب حزنك الخاص في حزنها.

كانت هذه أقرب مرة دنا فيها منها. وفي هذه المرة لم تقاوم. لماذا يبكي؟ لماذا تبكي؟

لا يعرف.

ماهر ورامي على بعد خطوات، لكن الجميع في ظلام دامس ولا توجد نظارات. لقد صار الظلام حقًّا عليهم جميعًا.. كأنه الموت.

من آن لآخر يصحو ويسأل في الظلام: هل جاء فجر؟ هل هو الموعد؟

لا سبيل للمعرفة إلا من ساعة ماهر الزنبركية التي تطلق دقة كل ساعة. عندما يعد ماهر تسع دقات فلسوف يكون موعد الرحيل.

ـ لا تنسوا ارتداء الثياب المستعارة.

٢

ليت بين الصخور مياهًا!

ولكن جبل ميت به غار كفم نخر أسنانه السوس..

أسنانه التي لا تستطيع أن تبصق..

هنا لا سبيل إلى وقوف أو رقاد أو جلوس..

حتى الصمت لا وجود له في الجبال..

وإنما فيها رعد مجدب بلا أمطار..

* * *

لا تدري كيف ولا متى تمشي في صف طويل كئيب.

اللهجة الجافة والدفعات هي مزيج من خشونة المدرب مع المجندين، وعنف السجان مع أسراه. هذا يجعلك تتساءل: ما الذي قدت نفسي له؟ أنت تمشي في ممر الفئران، لكنها الفئران المقبلة على الخروج ورؤية النور.

هكذا يتقدم الطابور في الظلام، ويمكنك سماع كلاب تنبح

وصوت ضربات وسباب.. لا بد أن المكان يعج بنظارات الرؤية الليلية. لا بد أن هناك حفلًا كاملًا يقام هناك.. لربما جلبوا نساءهم وأطفالهم من أجل لذة سادية أكيدة.

تعرف أن مها تمشي خلفك وأن رامي خلفها، وأن ماهر على بعد ثلاثة أشخاص منك.

هناك رجال يأخذون الأوراق من يدك.. هي أوراق لم تُطبع بطريقة «برايل». أوراق زائفة طبعًا اصطنعها ماهر.. لا بد أن هناك علامة ما تميز التزييف.. علامة قاتلة وسوف يجدونها.. لكن هذا لم يحدث ولله الحمد.

هناك من يأخذ طبعة من أذنك كإجراء أخير. لكن ليس بوسعك استعمال خدعة القالب. فلتأمل أنهم ما زالوا يحتفظون بإهمال قومك المعتاد. تأمل في أن تمر.

هذا الجو الخانق.. درجات سلم.

طائرة.. لا شك في هذا. لا شك أن معظمهم لا يعرف معنى الكلمة أصلًا. من حسن حظك أنك جئت من ثقافة بصرية.

ظلام داخل ظلام داخل ظلام.

مدرِّس اللغة العربية هو الذي حدثك يومًا عن ظلام داخل ظلام.. ظلام الرحم ربما أو القبر ربما. غريب أننا نأتي من الظلام وننتهي بالظلام. ظلام يسبح في سائل رائق، ثم ظلام مغمور بالغبار. كلاهما ظلام كريه الرائحة ملوث. لم يرد ظلام الطائرة على ذهن مدرِّس اللغة العربية.

قصص مبهمة قديمة عن طائرات الجيش السوفيتية العتيقة التي كانت تنقل جنودنا للكونغو أيام عبد الناصر. يجلسون بهذه الطريقة في الظلام.

تتحسس بحثًا عن مقعد، وفي كل مرة تدوس على قدم أو ترتطم بوجه.

هذا يزيد من شعورك بالكابوس الجاثم على صدرك.. أن تكون في الظلام على الأرض فهذا محتمل.. أن ترى الضوء وأنت في السماء فهذا معقول.. لكن أن تجد نفسك في الظلام على متن طائرة فهذا هو الكابوس بعينه.. هو قبر لكنه قبر محلق في السحاب.

تسمع الكلام في الظلام.. هناك مَن هو قلق ومَن يرتجف شوقًا.

التسارع.. الأرض الخشنة.. ترجرج.. شعور الغثيان.. فقدان التوازن.. أنت ترتفع.. صفير الأذنين.. لا يوجد حزام.. فلتسقط أو لتصبك مصيبة.

من آن لآخر يضع أحدهم في يدك علبة فيها طعام يستحيل معرفة كنهه، مع مشروب كريه.. يمكنك أن تشم رائحة التبغ الممضوغ ورائحة العرق ورائحة غازات البطن والعطور الرخيصة.

الرحلة طويلة طويلة استغرقت عدة أيام لأن الطائرة هبطت في أكثر من مطار، وفي كل مطار تسمع أصوات العمال تتكلم بلغات مختلفة.. هناك فرنسية وألمانية بلا شك.

وفي كل يوم يسمحون للمساجين بأن ينزلوا في الظلام ليتحركوا

قليلًا.. تكاد تسمع مفاصل رجلك وهي تتشقق محاولة استعادة ليونتها. هل ما زال ظهرك قطعة واحدة؟

لا يعلم إلا الله كيف تعرف الطائرة طريقها في الظلام، لكن أجهزة القياس تؤدي كل شيء كما هو واضح، أو ربما يملك الملاحون نظارات رؤية ليلية.. وقود الطائرة هو الوقود الوحيد الذي أفلت من معضلة تلاشي الطاقة تلك.. إن أبحاث ذلك العالم الفقيد على الوقود البيولوجي هي مفتاح كل شيء يتحرك في هذا العالم.

يدخل في غيبوبة ثم يفيق.. لقد اختلطت اليقظة بالنوم، ولم يعد يعرف الحد الفاصل بين الواقع والحلم. في الحلم كان يفعل ويقول أشياء كثيرة ثم يصحو متوقعًا أنه قال ما قال. يكتشف أنه لم يفعل أو يقل شيئًا.

من حين لآخر يسمع بجواره صوت امرأة.. تردد أغنية حزينة، ثم تبكي.

سألها في الظلام:

ـ هل من شيء أفعله؟

لم ترد واستنشقت المخاط من جديد.

ـ هل من شيء أفعله؟

أخيرًا قررت أن تتكلم فقالت بصوت يذكرك بخرير الجداول:

ـ تركت طفليَّ هناك في الظلام.. لم أعد قادرة على إطعامهما. توفي زوجي.

مأساتها الخاصة! تحسب أنها كائن فريد.. تبًّا.. عندما تمتلئ بالهموم، فإنك تشعر بأن متاعب الآخرين ترف وشكواهم لزجة كالمخاط الذي يسيل من أنفها.. على أنه أدرك من صوتها أنها تكذب. ليس لها زوج ولا أطفال على الأرجح.

ـ جاء كهنة الظلام.. تحسسوا جسدي ثم قالوا إنني أصلح للترفيه. لم يكن هناك مناص من القبول. إنهم أقوياء وأنا بحاجة للمال.

حاول تلخيص الموقف ببلاغة:

ـ إذن أنت ستكونين عاهرة في القصر.

ـ بالضبط.

ساد الصمت، ثم قال بصوت عالٍ ليتغلب على محرك الطائرة:

ـ كل واحد منا يبيع شيئًا ما.. فقط عليه أن يعرف ما الذي يمتلكه ثم يبيَعه. هناك من يبيعون عرقًا ومن يبيعون كلمات ومن يبيعون أفكارًا ومن يبيعون مبادئ.. أنت تبيعين جسدًا.. فقط تذكري أن هذه سلعة سريعة العطب، كمن يبيع أسماكًا.. عليك بيع كل ما لديك قبل المساء والتلف.

بحث في جيبه فوجد بعض التبغ.. كوم قبضته وصاح في الظلام:

ـ هاك.

تحسست يده حتى تلامست الأصابع ثم سمع صوت المضغ. قالت له بفم ممتلئ:

ـ اسمي علياء.. اسمع لو رغبت في لذة عابرة فلن يعرف أحد شيئًا في الظلام. يمكنني أن أزجي مشاعر الوحدة التي تخنقك.. أعرف أنني رائعة بارعة.

غمغم في الظلام بمعنى أنه لا يريد.. لو كان قد حمل معه شيئًا من عالمه القديم فهو زهده في النساء. هل جفت هرموناته أم أن عقله المضطرب أفقده تلقائية الحيوان؟ لا يدري.. منذ عشرين عامًا كان هذا العرض سيطير صوابه. اليوم يصغي له بتحفظ كأنها تقدم له سيجارة وهو لا يدخن.

كانت في حاجة للكلام في الظلام. لا يعرف كيف ولا متى أراحت رأسها الثقيل المنهك على كتفه. لها ذقن مدبب كذقن خفرع مما جعله يتأوه.. رائحة شعرها رائحة كافور محببة. وفي الظلام راحت تحكي له.. تحكي عن أسرتها.. عن أيام النور.. عن أختها عزة التي هجرت البيت وعن أخيها.. حكت له عن حبيبها الذي كانت تلقاه في الظلام، وهو مهندس يزعم أن اسمه باسم، لذا زعمت بدورها أن اسمها نرمين وأنها ممرضة.

لم يهتم بهذه الذكريات السخيفة.. الذكريات كلها نوع من العملة التالفة التي تحتفظ بها في درج مكتبك وتخرجها للآخرين ليروها فلا ينبهرون ولا يستطيعون إنفاقها.

فقط شعر بامتنان لها لأن رتابة الكلام الممل ساعدته على النوم.

* * *

عندما فتح عينيه سمع الفتاة تساوم أحدهم.. هذا صوت رامي الملول. يبدو أنها تتوق لمنح نفسها لأي واحد.. بدأت العمل من قبل أن نصل للقومندان، ولعل هذا لأنها المرة الأخيرة التي تملك فيها سيطرة مطلقة على خياراتها وجسدها.

ـ لو أردت متعة عابرة فأنا جاهزة.

رامي يتساءل في الظلام:

ـ قلت لي ما اسمك؟

ـ علياء.

فكر حينًا ثم غمغم:

ـ لا أريد.. بل أنت آخر مَن أريد.

الشرقاوي فهم الموقف. حكى له رامي قديمًا أن له شقيقتين هما عزة وعلياء وقد فقدهما معًا. لهذا لا يستطيع أن يمس من تحمل هذا الاسم.. عقبة نفسية، لكنه كذلك يدرك أن رامي نسخة نفسية منه.. هو غير مهتم فعلًا. اشتهاء النساء يحتاج إلى بال رائق ونفس متأهبة لذلك.

نصف يوم آخر ومطاران جديدان، ثم بدأت اللكنات الآسيوية تتزايد والتنفس يزداد عسرًا.

إنهم يقتربون من الهيمالايا.

٣

من مكان ما جاء الصوت يخاطب لا أحد. لم يكن هناك من يرغب في تفسير أي شيء للمتزاحمين، لكن يبدو أنهم كانوا يخبرون شخصًا ما.

دوى الصوت يقول بالإنجليزية:

ـ نحن نرتفع فوق مستوى الغيوم.. سوف تبدأ الملاحة اليدوية معتمدين على البصر.

وبدا أن الطائرة تتسلق بزاوية بالغة الحدة.. لأعلى.. لأعلى.. ظهرك يلتصق بمقعد الطائرة.. التنفس أصعب.

وفجأة حدثت المعجزة.

بدأ الظلام يقل.. فجأة تدرك أنه ليس ظلامًا متجانسًا.. تفهم السر.. لقد كان هذا الظلام المسطح عبارة عن سحب كثيفة سود.. والآن قد بدأت السحب تتباعد وتفترق.. كأنه ميلاد الفجر. ومن بينها تظهر السماء.. السماء الزرقاء التي خلقها الله!

النور يتسلل خافتًا لداخل الطائرة.

تصاعدت صيحات الانبهار والاستحسان.. وردد الجميع صلوات بأكثر من لغة تنتمي لأكثر من دين.. بكى أحدهم غير مصدق.. بكى الشرقاوي غير مصدق.. وهمس: سبحان الله!

فجأة صار النور هو كل شيء بالخارج ونسي الجميع أنهم كانوا في ظلام دامس.

دار الطيار قليلًا في الجو ثم قال في مكبر الصوت:

ـ انظروا من الجهة اليسرى.

لهذا يهتمون بهم.. لهذا يخبرونهم بالتفاصيل، لأن الغرض هو إعطاء عبرة.. ليكن أول مشهد تراه بعد الظلام كابوسًا تتمنى معه أن تعود للعمى. لقد تدافع الجميع نحو النافذة.. لا يصدق أحدهم أنه يرى فعلًا.

كانت هناك قمتا جبلين متقاربتان.. وثمة شيء بين الجبلين.

عندما اقتربوا أكثر رأوا أن هذا صف من الرجال المعلقين في وضع النسر فارد جناحيه. يتدلون بين قمتي الجبلين، مربوطين بجنازير قوية إلى القمتين، وكانت هناك شعلة نار قريبة منهم معلقة على سارية عالية.. واضح أنها هنا لمنعهم من التجمد.

هل هم موتى؟

* * *

سأعيشُ رَغمَ الدَّاءِ والأعداءِ   كالنِّسر فوقَ القِمة الشَّمَّاءِ

أرنو إلى الشَّمسِ المضيئة هازئًا   بالسُّحبِ، والأمطارِ، والأنواءِ
لا أرمقُ الظلَّ الكئيبَ، ولا أرى   ما في قرار الهوة السوداءِ

«نشيد الجبار: هكذا غنَّى بروميثيوس»

أبو القاسم الشابي

* * *

عبيد حاولوا سرقة بعض النار من قلعة القومندان لينزلوا بها إلى البشر في عالم الظلمات، لكن الحراس قبضوا عليهم.. وها هم أولاء يتلقون عقابهم العادل.. إن الطيور الجارحة والعواصف سوف تمزقهم إربًا.. راقبوا المشهد.. تصوروا ما يشعرون به.. تصوروا الألم والخزي.

كان هذا درسًا قاسيًا لمن يريد أن يعتبر.. إن المشهد الشنيع لا يفارق ذهنك بسهولة.

رجل حاول أن يسرق النار فكان عقابه أن علق بين جبلين ليموت.

يبدو الأمر مألوفًا.. ثمة لمسة مسرحية لا شك فيها.

«برومثيوس» العملاق في الأساطير الإغريقية.. أراد أن يسرق النار من «الأوليمب» ليمنح أسرارها لبني البشر.. النتيجة هي أن «زيوس» عاقبه بهذا الشكل.. وفي كل يوم يأتي الرخ ليأكل كبده وفي الليل ينمو له كبد جديد.. رمزًا للعذاب الأزلي.

النار.. المعرفة.. «برومثيوس» أنقذه «هرقل» فمن لهذا البائس بـ«هرقل» آخر؟

الرجفة.. هذا القومندان يتصرف مثل «زيوس» وكأن قلعته هي «الأوليمب».. إنه يعتبر نفسه إلهًا بالفعل.. وقد اختار هذه الميتة للمتمرد لأنها راقت له.. وجدها شاعرية ذات مذاق أدبي ساحر.

فليرحمك الله فأنت ذاهب إلى قلعة مجنون.. والأسوأ أنه مجنون قوي جدًّا.

بدأت الطائرة تنحدر.. إنها تحاول الوصول إلى الفجوة بين جبلين مكسوين بالثلج.. ثم هي تتجه إلى ممر.. ممر طائرات عجيب تم شقه بين سفحي الجبلين.

متى صنع هذا الرجل هذا كله وأي إمكانيات لديه؟

على كل حال لا يمكنك أن تحكم العالم بتكاليف أقل من هذا.

عجلات الطائرة تلمس الممر.

وتندفع الطائرة في آخر مراحل رحلتها الرهيبة.

٤

هذا هو المطار إذن.

بأقدام لينة وظهور متخشبة يمشي هؤلاء الوافدون في ممر مليء بالحراس.

ثيابهم متسخة عطنة الرائحة.. النساء يلبسن كالراقصات قبل فقرة حفل الزفاف.. مساحيق كثيفة ومعاطف جلدية تشي بأن تحتها بذلات رقص.

رأى مها تمشي من بعيد فلم يجسر على أن يبتسم لها، لكنه عرفها على الفور، وبدت له مضحكة بثياب الراقصات هذه، مثلما يبدو العمدة الريفي عندما يلبس بذلة ورابطة عنق. ثمة شيء غير صحيح.

الحراس مسلحون ببنادق شرسة المظهر كأنها ثعابين، ولا يمكنك أن ترى عيونهم لأن الخوذات تغطي العينين على الطريقة النازية، فلا ترى سوى فك صلب ونصف وجه، لا مشاعر. يمكنك أن تدرك أنهم سيقتلون كل من يشتبهون فيه.. سهولة تامة.

إنه النور.

من قال إنك لا تستطيع السباحة فيه؟ تترك جسدك يطفو مع موجاته.. مع ذراته.. الألوان.. الظلال.. هذا جميل لدرجة أنه موجع.. يؤذي الشبكية فتوشك على الصراخ.. ربما هو صراخ النشوة.

عندما تخرج من المطار تفاجأ بحدائق غناء.

بعض العبيد لم يروا حدائق من قبل، ولا يعرفون الظلال الخافتة التي تميز خضرة عن خضرة أخرى. لهذا هم مذهولون مما فاتهم في الظلام. ربما هم ماتوا ودخلوا الجنة حقًّا؟

فراشة تحلق فيشهق الجميع غير مصدقين.

طفلة تركض فيتصلب الجميع ناظرين لها باعتبارها معجزة.

في ممر الفئران لا يوجد أطفال ولا فراش..

بين الصخور التوقف محال والفكر محال.
والعرق جاف والأقدام تغوص في الرمال..
ليت بين الصخور مياهًا!

لم يرَ هؤلاء اللوحات التي رآها الشرقاوي.. لم يكن واسع الثقافة، لكنه كان يعرف ذلك الجو الذي رسمه فنانو «إخوة ما قبل رافائيل».. الرسوم التي يحبها الناس ويعلقونها في الصالون دون أن يفهموا ما هي. هنا تدب الحياة في تلك الرسوم.. كل شيء هناك.. النافورة والطاووس والحسناوات اللاتي يرقدن على العشب يطالعن كتبًا

أو يركبن الأرجوحة ويبعثرن الأزهار.. لا ينقص المشهد إلا توقيع «فردريك ليتون» أو «لورانس ألما ـ تاديما» في الركن.

بعض النسوة من الجواري كن يبكين. لم يتحملن كل جرعة الجمال هذه.

الفتيات بارعات الجمال يركضن حافيات الأقدام هنا وهناك. فقط الشرقاوي يعرف معنى أن تكون الفتيات بارعات الجمال، وبدأ نداء الأجيال الهرموني يتحرك في نفوس من لم يروا امرأة في حياتهم. كانوا قد بنوا مقاييسهم القائمة على اللمس والشم. اليوم يكتشفون بعدًا جديدًا. أن ترى الجمال فتشتهيه دون أن تكون قد رأيت جمالًا من قبل.

إنهن بنات سادتنا طبعًا.. ولدن في الشمس والهواء وتمتعن بالحياة النباتية.. عرفن القراءة وربما التلفزيون أيضًا.

تذكر حياة الآخرين في الظلام يتحسسون الطرقات وسط الرائحة العفنة.. تذكر شطائر اللحم الكريه الذي لا تعرف ما هو.

لقد حدث الاستقطاب بشكل قاسٍ جدًا، وكما حلم به كتاب الخيال العلمي مرارًا.. سادة مترفون وعبيد معذبون.. الفارق هنا هو أن العبيد هم العالم كله.. والفارق أن هذا لم يحدث نتيجة تطور دارويني طبيعي، بل هو لعبة قاسية أحدثها نيزك هاوٍ.

ربما كان ما حدث للديناصورات أفضل.

الطقس بارد بحق.. لكن السبب هو أننا على قمم الهيمالايا.. ليس السبب أن الشمس لا وجود لها.

في كل موضع هناك مصابيح تشع الحرارة.. ليس الضوء هو المبتغى. المطلوب هو الدفء.

ولهذا تلبس الفتيات غلالات رقيقة لا تقي من برد، كأنهن إلهات إغريقيات في لوحة لـ«فردريك ليتون».

صاح أحد العمال الإسبان القادمين بعبارات غزل.. غالبًا عبارات غزل.. لأن مرأى الحسناوات أفقده صوابه.. من المبهر أن ترى حسناء لكن الأكثر إبهارًا أن «ترى» أصلًا.

للأسف سمعه أحد الحراس وعلى الفور انهال عليه حارسان ضربًا بكعب البندقية مع الكثير من الركلات.

هكذا واصل الموكب مسيرته في صمت وتهذيب.

* * *

دنت مها من الشرقاوي وتبادلا النظر.

كانت تشهق.. كلاهما يعرف الآخر من رائحته.

لم تكن جميلة ولا كما رسم صورتها الذهنية من صوتها المخملي، لكن لها وجهًا محببًا مفعمًا بالحنان. يمكنها أن تكون أمك ببساطة شديدة.. إذن هاتان شفتاها؟ قبلهما مرارًا في الظلام دون أن يعرف شكلهما أو يعرف أن هناك خالًا صغيرًا فوق الشفة العليا.

هي أيضًا كانت تنظر له في دهشة وارتباك.. تحاول أن تركب هذا الصوت على الوجه.

تُرى أين رامي؟ على الأقل هو رأى رامي وفاتن من قبل.

هل ترى هذه البناية العملاقة؟ يمكن بسهولة أن تدرك أنها المتحف هنا.. من النوافذ الخفيضة المغطاة بالزجاج ترى خليطًا عجيبًا من لوحات عصر النهضة والآثار الآشورية والفرعونية. هناك أجزاء تذكرك بمتحف «اللوفر» ذاته.. هناك رأس كبير لأمنحتب الثالث في المدخل وسط الأشجار.

ثمة عمود عليه كتابة مسمارية.. جواره تمثال نهضة مصر.

هناك قوم من جنسيات مختلفة يبدو عليهم الرقي يحملون كاميرات التصوير.. منذ متى لم يرَ كاميرا تصوير؟ إنهم ينظرون لهم في مزيج من الدهشة والاستمتاع.

من الواضح أن هناك أرستقراطية كاملة قد تكونت من رجال القومندان وأسرهم وأصدقائهم هنا.. هؤلاء القوم الذين تربوا فوق الظلام وعرفوا معنى النور.. بالطبع استجلبوا لأنفسهم كل ما يجعل حياتهم هنا ممتعة.. حتى آثار الأمم الأخرى وكنوزها.. في هذا شيء من المنطق على كل حال.. إذ ماذا يفعل بهذه الكنوز قوم لا يبصرون؟

يبدو أنهم يملكون هنا آثار العالم كلها ما عدا ما لم يتم نقله.. لا يقدرون على نقل الهرم طبعًا، ولن ينقلوا برج «إيفل» أو «تاج محل».. لكن لديهم ما يكفي، والمتحف المصري يزوره بلهاء يتحسسون كتل صخور وهمية في الظلام. بينما الشيء الحقيقي هنا.

الصمت والتهذيب.. كأنه جيش من العبيد لا يجسر على الالتفات أو تبادل التعليقات.

ومن مكان ما جاء صوت ماهر يقول بعصبية:

ـ هذا لن يدوم للأبد.. طبيعة الأمور أن هذا لن يدوم للأبد.. منذ خلقت الأرض، والماء لا يبقى أبدًا في مكان مرتفع وإنما يهبط لأسفل.. لقد بُحَّ صوت المعلمة في المدرسة الإعدادية وهي تشرح لنا معنى «الأواني المستطرقة».

نظروا له وشهقت مها.. هذا هو ماهر إذن.

الغضب والتمرد.. مع توحش الذئب الجريح الراغب في الانتقام بأي ثمن. إن فقدان نجوان ترك ندبة أبدية في روحه. سوف يقتل ويُقتل.. وسوف يمزق أكثر من جسد قبل أن يلقوه للكلاب. ما زال يأمل في تحقيق شيء عملاق، فإن لم ينجح فعليه أن يموت مع أكبر قدر من الخراب والصخب والدم. عليه أن يعقر أكثر من واحد وينقل له داء السعار.

ماهر خطر.. لو كان هناك واحد يقدر على أن يجلب لك الخراب فهو ماهر.

فكر الشرقاوي مرارًا في هذا كله.

هناك ثراء ووفرة ونور، والأهم أن هذه الأشياء مسلوبة من العالم كله.. لا بد من أن يهبط هذا كله إلى حيث الفقر والشح والظلام.. لكن هل ينعم بها هؤلاء الذين يعيشون في الظلام؟ وهل يتسع المكان لكل

مَن يعيشون في الظلام ليأتوا هنا؟ يبدو أن الماء لن يرتفع ليتساوى في الأواني المستطرقة. ربما يهبط ليتساوى فيها جميعًا.. عندما يعجز البشر عن توزيع الثراء فإنهم يوزعون الفقر.

ولكن كيف؟

أن تختار

١

هنا لا سبيل إلى وقوف أو رقاد أو جلوس..
حتى الصمت لا وجود له في الجبال..
وإنما فيها رعد مجدب بلا أمطار..
حتى الوحدة لا وجود لها في الجبال..
وإنما فيها وجوه حمر كئيبة تهزأ أو تكشر..

من قصيدة «الأرض الخراب» لـ«ت. س. إليوت»

ترجمة د. لويس عوض

* * *

هكذا يكون عليك أن تمارس العمل اليدوي. أنت عبد وليس لك أن تختار.

فلتنسَ كفاحك العقلي وكل عملك القديم كمهندس إنشاءات. فلتنسَ أنك في الأربعين ولم تعد بكامل لياقتك. فلتنسَ رأيك في نفسك أنك رجل فكر.

أنت تعمل مع رامي ومع ماهر.

لقد صارت الوجوه مألوفة، وتشعر أنك تراهم منذ زمن بعيد.. قد صار الإبصار عادة، وبدأتَ تتذكر انطباعك القديم عن الذين يرتدون وجوههم قبل الخروج للعالم. لا أحد يغير وجهه منعًا للملل.

ماهر أشيب الشعر مبعثره يوحي بالثورة والغضب، وكان يدخن بشراهة. في هذا المكان يشتعل الثقاب وقد تعلم ماهر كيف يلف التبغ في ورق بفرة ويدخن في نهم، ولعله يتذكر أيام الكلية والسيجارة المتدلية من الفم أبدًا. أنت كذلك سعدت بقدرتك على التدخين من جديد. حتى وإن كان صدرك لا يتحمل التدخين والعمل الشاق معًا. رامي كان قد أقلع عن التدخين منذ زمن بسبب عارض صدري.

أنت غير بارع برغم أنك مهندس.. بالطبع لأن عملك نظري.. لك يدان شديدتا الغباء وتمتاز حركاتك بالبطء. اليوم أنت تعرف الحقيقة كاملة: أنت كسول أخرق.

هناك «أوسطى» مكسيكي يشرف على العمل، ويراقب العاملين جيدًا ويصدر التعليمات. ثم ينظر لك في شك ويقول بإنجليزية أقرب للإسبانية:

ـ أنت لا تجيد شيئًا.. كل هذا غريب. أشعر أنك لم تمارس عمل السباكة قط.

ـ كنت أتحرك في الظلام.. اعتدت أن أتحسس ما أقوم به لذا أشعر بارتباك عندما أراه.

وفي المساء كان الشرقاوي يشعر بأنه خرقة مبللة بالماء. منهك..

يتماسك بصعوبة ليبقى على قدميه. يذهب إلى ذلك المسكن المخصص للعمال، وهو لا يختلف عن أي مسكن عمال عرفه في حياته.. مزيج فريد من المسكن وعنبر السجن وبالوعة المجاري.

عنبر طويل تزدحم فيه الأسِرة ذات الطابقين، والإضاءة خافتة تنبعث من مصابيح قليلة واهنة. العنبر مزود برائحة العرق والأقدام العفنة والأنفاس الكريهة، ويبدو أن السجائر هي الشيء الوحيد القادر على تبديد هذه الرائحة الشيطانية.

كأن كل هؤلاء القوم قد تحولوا إلى أقدام حافية عملاقة كريهة الرائحة، فلا ينقص هذا المشهد الجحيمي إلا الحر والعرق والرطوبة، ولحسن الحظ أن هذا غير وارد.. نحن في عالم مرتفع بارد. عندما يكون البرد نعمة حقيقية.

وخطر له أنه ليس سعيدًا على الإطلاق.. ليست الحياة بهذه الطريقة مما يفتقده المرء. ضريبة فادحة تدفعها حتى لا تعود للظلام. من حسن الحظ أنه مرهق بردان.. لولا هذا الإرهاق والبرد لما استطاع النوم في أي ليلة. الدفء الزاحف ببطء منوم أقوى من أي شيء ابتكره علم الصيدلة.

نزع ثيابه الخارجية، وجلس متربعًا في الفراش وأشعل لفافة تبغ، وسحب منها نفسًا نهمًا.

هبطت قدمان من أعلى، ثم وثب ماهر ليجلس بجواره.. ومن مكان ما جاء رامي.

ـ أنت لم تنم بعد.. سوف نلتقي في الخارج.

ـ هل هذا ضروري؟ لم أعد أشعر بأناملي ولا رأسي، والبرد قارس.

ـ هو ضروري فعلاً.

ارتدى ثيابه ثم نهض متثاقلاً، وتبعهما إلى الخارج. هناك في الساحة الخالية الباردة التي تتناثر فيها بعض المصابيح، تشعر بأنك فوق قمة العالم فعلاً. هالة ضوء غريبة تحيط بالمصابيح ورجفة غامضة في العروق. الأكسجين شحيح والضوء الأزرق ينبعث من الأنوف مع بخار الماء من الأفواه. ثم يأتي «فيتوريو» ومعه رجلان. يبدو أن الثلاثة إيطاليون.

يمكن تبادل الأسماء:

ـ «ستافرو».. «ريكاردو».. «فيتوريو».

ـ رامي.. ماهر.. الشرقاوي.

لم يصدق في البداية أن هذا الفتى قصير القامة الممتلئ ذا العين التالفة ثائر.. ثائر عالمي، فقد رسم للثائرين في ذهنه صورة الشخص الناحل العصبي فارع الطول الذي توشك عروقه على الانفجار، أو على الأقل وجه «جيفارا» الغاضب المتطلع للأفق. سمع في شبابه أن شخصية «هاملت» كما رسمها «شكسبير» كانت شخصية بدينة متلاحقة الأنفاس، وبدا له هذا سخيفًا.. مزاج «هاملت» المتوتر يمكنه أن يحرق دهون دولة كاملة. بالمثل لم يصدق قط أن يوجد ثائر أو شاعر بدين، لكنها الحقيقة.

كانوا يتكلمون الإنجليزية الرديئة، والإنجليزية الرديئة ممتازة

في التفاهم بين من يتكلمونها.. الكل يفهم الكل، بينما لو وجد واحد فقط يتكلم إنجليزية جيدة بينهم لما فهموا حرفًا. وهو يعرف يقينًا أنهم متآمرون مع ماهر.. هناك كتل تآمر تحتشد هنا. لا يعرف متآمرون لأي غرض، لكنهم متآمرون وكفى. الثورة والغضب باديان في العيون.. لو كان من حراس القومندان لأعدمهم جميعًا بتهمة هذه النظرة.

لاحظ في دهشة أنهم ينظرون له بدورهم، ومن آن لآخر يتبادلون الكلام بالإيطالية التي لا يفهمها، ويبدو أنهم يعلقون عليه أملًا. سمعوا عنه الكثير.. نفس النظرية السخيفة عن مجيئه من لامكان، فلا بد أن الأقدار اختارته لغرض معين. البشرية تبحث عن المخلص أو المهدي المنتظر أو عودة المسيح منذ بداية الخلق، ويبدو أنهم قرروا أنه مناسب لهذا الدور. لا يختلف في هذا الحمق الغربيون عن الشرقيين.

قال «فيتوريو»:

ـ سوف يكون علينا أن نجد «كعب أخيل» هنا.. المكان الذي يحرسونه بعناية وخوف. هذا هو موضوع بحثنا.

هز رامي كتفه في قنوط. الرسالة وصلت للشرقاوي كاملة، فهو يعرف ما يفكر فيه رامي لأنه متطابق في الفكر معه: سوف نمرح قليلًا إلى أن ينكشف أمرنا ونُعلَّق بين جبلين. الظلم ينتصر دومًا في النهاية، والنهايات السعيدة استنفدتها السينما فلم يعد باقيًا منها ما يكفي لعالم الواقع. من الجميل أن تعتقد أن حياتك ليست عبثية، وأن نهايتك

المريعة كانت وقودًا للثورة، وأنه على الثرى المبلل بدمك سوف يمشي الأحرار نحو الغد والنور.. كل هذا جميل ومنعش.

المشكلة الوحيدة هي أنه غير صحيح.

٢

تمشي مترنحة وهي تشرب من زجاجة خمر صغيرة تشبه زجاجة دواء السعال. يمكنك بسهولة أن تعرف مهنتها من ثيابها ومن خطواتها المبعثرة. يمكنك أن تعرف مهنتها من الكدمات على ذراعيها وفخذيها.. يمكنك أن تعرف مهنتها من وجهها الملطخ بالأصباغ والنظرة الشهوانية السقيمة في عينيها كأنها ذئب مسن.. هذا كائن فقد كرامته.

كان ماهر منهمكًا في تسليك بالوعة مسدودة، وقد انبطح على بطنه وأدلى بأداة تسليك طويلة، بينما يقف الشرقاوي مشمئزًّا من الرائحة على بعد متر. وبرغم الاشمئزاز كان يقضم قطعة من البسكويت على سبيل الإفطار.

مشت بجوارهم وهي تهز ردفيها وصدرها في ميوعة، وتوقفت جوار شجرة فأفرغت معدتها بشيء من الحشرجة، ثم جففت شفتيها بمنديل ورقي وأسندت رأسها للجذع للحظات كأن الدوار يفتك بها.

استدار ماهر وألقى نظرة عليها، ثم همس في اشمئزاز:

ـ بقايا كائن حي.. هناك كثيرات منها هنا.. جئن من عالم الظلام. من لا تصلح راقصة أو مربية صارت عاهرة.

كان يزداد غضبًا وضيق خلق، وبدا كأنه كان حانقًا على الظلم، ثم صار حانقًا على المظلومين العاجزين أنفسهم.

مترنحة كأنها دن ثقيل يرتكز على طرف مدبب، دنت منهما ثم وقفت تتأرجح وقالت بعربية فظة سوقية:

ـ علام تنظران يا «...»؟

قال ماهر دون أن ينهض عن الأرض:

ـ عربية؟ لا أعرف ما دهاك.. صدقيني أنا أعمل في تسليك بالوعة المجاري، وقد تلوثت أناملي بالقذارة والغائط، لكني برغم هذا مشمئز منك أكثر. كيف تحصلين على رزقك برغم قبحك؟

بدا هذا منطقيًّا للشرقاوي. هذه مهنة تحتاج إلى حد أدنى من الجاذبية. تحتاج إلى أن تبدو كأنثى على الأقل، أما هذه فلا تختلف عن... عن... لا يجد لفظة تصف هذه البشاعة. لا بد أن هؤلاء القوم الذين يشتهونها شديدو الفحولة أو مولعون بالكلاب.

ـ هل تريدين قطعة بسكويت؟ يبدو أنك جائعة مع كل هذا الخمر.

هزت رأسها كمن راقت له الفكرة، فناولها بعض البسكويت.. راحت تقضمه في نهم وهي توشك على أن تزوم. سألها ماهر وهو يواصل العمل:

ـ ما اسمك؟

قضمت قطعة بسكويت أخرى:

ـ علياء.

تذكر الشرقاوي تلك المرأة التي عرضت عليه الجنس في الطائرة المظلمة. كان اسمها علياء وكان لها طفلان في عالم الظلام كما زعمت. نظر لذقنها المدبب الصالح لثقب الكتف كأنه إزميل نحات، وتذكر ذقن تلك المرأة.. من الوارد أن تكون هي نفسها.

من بعيد جاء رامي، وكان يلهث وهو يدفع عربة عليها بعض الكيعان البلاستيكية. توقف وجفف قطرات العرق التي احتشدت على جبينه بفعل البرد. لم يكن في سن تسمح بكل هذا الإنهاك.. كانت رحلة حياته قاسية منذ بدأ يدرك العالم، وحتى اعتقال زوجته ثم فراره إلى هنا. مسيرة طويلة شاقة.. وبعد أعوام سوف يصير شيخًا ولن يقدر إلا على البقاء في الظلام حتى الموت.

توقف لحظة ونظر للمرأة التي كانت تقضم البسكويت.. البسكويت يسقط من شفتها الغليظة. تبصق ثم تعاود المضغ. يبدو كأن ذكرى معينة تداعبه.

ـ ما اسمك؟

قالت بلا اكتراث:

ـ علياء.. هل تريد بعض الوقت معي؟

هتف ماهر وقد جلس القرفصاء وتحسس ظهره:

ـ دعكَ منها يا رامي.. هي شبه مجنونة وبالتأكيد سقيمة.

رامي! تصلبت نظرات المرأة للحظات وتأملت وجه رامي في جزع، وفعل هو الشيء ذاته.. بدا كأن ذكرى باهتة شاحبة تتسلل لهما، كأنها لوحة تبدو ألوانها الشاحبة تحت طلاء لوحة أخرى. لربما لو معك قطنة مبللة بسائل «التنر» وواصلت المسح قليلًا لظهرت اللوحة القديمة. لكن لا أحد يريد ذلك.. وفي اللحظة التالية ابتعدتْ وهي تترنح دون أن تنظر للوراء. رامي هو الآخر واصل العمل دون تعليق.

جلس ماهر وأراح ذقنه على ركبته وهمس للشرقاوي:

ـ ذكرته بأخته.

صمت الشرقاوي ولم يعلق.. كان قد استنتج معنى المشهد الذي رآه. عندما يكون على الجهاز العصبي تحمل ما فوق طاقته، فإنه يتعامل مع الحدث بطريقة أقرب إلى اللامبالاة.. أقرب للملل.

لماذا ذهب للسينما بعد وفاة أبيه بيوم واحد؟ كان يحبه بشدة، لكنه استقبل وفاته بنوع من البرود الفاتر.. لو لم يفعل هذا لجن.

* * *

ـ هذا الكابل يقود لقاعة الاحتفالات.. أريد أن تتبعه وتتأكد من أنه معزول بالكامل.. هل تستطيع عمل هذا على الأقل؟

هز الشرقاوي رأسه. قاعة الاحتفالات؟ بالطبع.. سيكون وحده لفترة لا بأس بها وبوسعه أن ينظر حوله. منذ جاء هنا وهو عاجز عن أن ينظر حوله.

مشى مع الكابل وهو يسلط ضوء الكشاف. يتلوى خارجًا من النفق صاعدًا لأعلى. ارتقى درجات تم تدعيمها بالمعدن إلى ساحة مظلمة في الخارج.. الهواء والليل والوحدة.. الرهبة.. التميز.. أطفأ الكشاف.

أخذ شهيقًا عميقًا من الهواء شحيح الأكسجين. في البدء كان هذا يشعره بالدوار ثم بدأ يعتاده. للمرة الأولى لا توجد حراسة من أي نوع.. تخيل أنك فوق قمم الهيمالايا لكنها الحقيقة.. فقط هي هيمالايا تم جعلها صالحة للحياة بآلاف من أجهزة التدفئة المتناثرة في كل مكان.

هيمالايا فوق الغيوم.. هيمالايا فوق السحاب وفوق الظلام وفوق أوجاع البشر.

من بعيد تلك الأشباح الشامخة مرتسمة على خط الأفق.

إنها الأبراج.

* * *

كان «فيتوريو» مشتاقًا لمعرفة التفاصيل.

في الظلام مد يده يتحسس الشكل المصنوع من الصلصال.

هناك مرتفع هنا ومنخفض هناك.. هناك فجوة.. هناك ممر ضيق بين جبلين.. ثم توقفت أنامله عند مجموعة من البروزات التي صنعت من أعواد ثقاب متلاصقة.

توقفت يده عند برج مرتفع.. وعاد يسأل:

ـ هذا.. ما هو؟

مدت «باولا» يدها حيث أشار، وراحت تتحسس ثم قالت:

ـ لا أعرف.. لكنه شديد الأهمية.. هناك حراسة مكثفة من حوله.

* * *

نعم أبراج.. هناك أكثر من برج.. وكلها تحظى بذات الحراسة المكثفة.

فجأة بدأت الأرض تهتز تحت قدميه.

ونظر إلى الأفق فرأى أن قمم الأبراج تهتز بلا انقطاع.. ومنها يتصاعد ذلك المزيج الكثيف الأسود الذي لا يعرف ما هو.

لكن هذه اللحظات القاسية لم تدم طويلًا لأن الدخان بدأ يتلاشى وينقشع.

يجب أن يعود قبل أن يثير الشكوك بصدد تأخره.

٣

هكذا كان الحفل الصاخب، هناك حفل كل ليلة في هذا القصر. وهكذا كانت الموسيقى تصدح متسربة إلى خلايا الوجود فيثمل. امرحوا يا سادة واستمتعوا بالسحر والجمال والضوء. هناك ممر فئران عفن الرائحة على الأرض، تتدافع فيه فئران عمياء على طريقة «أجاثا كريستي».. امرحوا لتنسوا وجود شيء قذر كهذا.

امرحوا يا سادة واصخبوا واصدحوا فآلهة الحظ في صفكم، وقد كتب لكم السعد.

امرحوا يا سادة واحمدوا الله على أنكم لستم الآخرين.

بين الحاضرين يمشي الشرقاوي وماهر ورامي.. الجو مربك غير معتاد، خاصة بالنسبة لمن لم يرَ النور منذ عقود. كانوا يلبسون الثياب التي أخذوها من «فيتوريو» ورفاقه، وهي ثياب تليق بالاحتفال.. سترة سهرة سوداء أنيقة وربطة عنق، وتظاهر بالأناقة، مع شعر مصفف لامع وذقن حليق.. هذا كل شيء.

هناك حشد من القوم من جنسيات عديدة فلا يصعب أن يتواروا وسط الزحام. أو يذوبوا كجزيئات سابحة.

صخب.. ثريا عملاقة ورائحة العطر تتصاعد للسماء، وساحة تقترب مساحتها من ميدان صغير. يمكنك أن تشعر بقدميك تنغرسان حتى الكاحل في البساط الفخم. إضاءة خافتة منومة.. هذه لوحة اسمها «البذخ».. هل هاته نسوة أم نجوم ضلت الطريق للسماء؟ العالم لا يتسع لكل هذا السحر. لا بد أن قواعد الفيزياء قد خربت.. هل كل هذه النحور المرمرية موجودة في العالم فعلًا؟

يمكنك أن تدرك باقي الخطة شبه السينمائية، وتدرك جيدًا أن النجاح مستحيل. أنت موقن من هذا وكذلك رامي. إن هي إلا طريقة انتحار أنيقة، لكن ماهر الثائر الأبدي يعتقد في حماقة أن هذا ممكن.

يمكن القول إن هناك عشرين واحدًا من الضوئيين في هذا الحفل، وهم متأهبون. على طريقة انقلاب قاعة البيرة الذي أراد به «هتلر» أن يستولي على حكم ألمانيا.. بالطبع فشل وسُجن. كل هذه الأمور تفشل.. خطة طموح أكثر من اللازم. سوف تفقد عنقك أو ـ الأسوأ ـ تفقد جلدك. اشرب.. اشرب.. حاول أن تنسى.

كان ماهر يقف ممسكًا بكأس ويده في جيبه وشعره الأشيب يتألق في الضوء. كان هادئًا لكن بوسعك أن تدرك أنه يحترق من الداخل.

دنا منه الشرقاوي وهز رأسه محييًا، ثم تناول كأسًا أخرى.

همس ماهر من بين أسنان مطبقة:

- اللحظة تقترب.. كن مستعدًّا.

- لم تخططوا لاغتيال القومندان.. لا يمكن أن تصلح أي ثورة من دون اغتيال القومندان أو تحييده.

ابتسم كأنما يسمع طفلًا يتكلم. وقال:

- ألم تفهم بعد؟

- نعم. لم أفهم.

قال وهو يفرغ الكوب في جوفه:

- لا يوجد قومندان!

استجمع الشرقاوي أعصابه فلم يصرخ، وتساءل:

- ماذا تعني؟

- القومندان هو كل هؤلاء.. تلك الزمرة الحاكمة.. الجنرالات والعلماء القادمون من روسيا والصين وبعض الدول الأوروبية والأثرياء العرب.. القومندان فكرة.. لقد قرروا أن يصنعوا لأنفسهم مجتمعًا مسيطرًا خاصًّا بهم.. ولما كانت الشعوب ميالة إلى الفكرة المجردة، ولدت صورة القومندان الذي كان راهبًا آتيًا من التبت.. في الحقيقة لا وجود له.. لا وجود له على الإطلاق.

- والكلام عن النبوءة، وكل ما يقال عن إجادته السحر، إلخ؟

ـ كل هذا هراء يؤمن به الجميع حتى معظم الضوئيين.. ما لديَّ من معلومات يؤكد أن القرارات تصدر جماعية لكنهم يضعون عليها اسم «القومندان».

فجأة دوى صوت الموسيقى.

يستطيع الشرقاوي المذهول أن يتخيل المشهد.

«فيتوريو» ورفاقه الذين قضوا شهرًا يسرقون معدات التفجير من المحجر، قد لغموا معظم الأبراج الحاكمة التي تسيطر على هذا العالم كله، وتمنحه الطاقة.. ومن ثم النور. عندما تحين اللحظة سوف يبلغهم ماهر. سوف يصاب المكان كله بالشلل وإن ظل نور الشمس يتسرب لأنه فوق السحاب. سوف يسيطر الثوار على هذا العالم بأكمله وعلى كل الجنرالات الناعمين المطمئنين وكل الأثرياء الخاملين. بعدها يتم توزيع كل شيء بالعدل.. لن يبقى الجميع في ممر الفئران. سوف يكون النور حقًّا للجميع.

فكرة ساذجة أقرب لأحلام اليقظة.. ربما هي ضرب من الاستمناء الفكري لا أكثر. دعهم يحلموا فأنت ورامي تدركان الواقع الكئيب.

قال رامي همسًا:

ـ سنموت جميعًا.. أنت تعرف هذا.. ولعله أفضل.

ـ بالفعل هذا أفضل.. ليكن آخر ما نراه هو الضوء والرقص والنحور وآخر ما نسمعه هو الموسيقى.

الدخان يتصاعد على المسرح.. مع موسيقى هادرة من الطراز الذي يجعل قلبك يرتج بين الضلوع. لحظة التأهب كأنهم سيقدمون القربان الأعظم حالًا. الكثير من الليزر.

ثم مجموعة من الراقصات شبه العاريات يؤدين نوعًا من الباليه الإيقاعي وسط استحسان الجماهير.. الصفير.. أداء متقن جدًّا. لا بد أن كاهنات «دلفي» كن يؤدين شيئًا مماثلًا.

لم يكن قد رأى «باولا» من قبل لكنه أدرك أنها هي.. عندما يقولون عن فتاة إن جمالها خارق، فليس من الصعب أن تتبينها على المسرح. «فيتوريو» نال الجائزة الكبرى ولن يضيره في شيء أن يموت. أما الثالثة عن اليمين فهي مها.. ترقص كطبيبة بالفعل. بلا أي براعة، وكثير من الخرق. لم تتعلم قط كيف تلوح بأنوثتها. يستطيع أي طفل أن يخمن مَن هي.

ماهر يتحسس جهاز اللاسلكي في جيبه. نهاية الرقصة معناها الإشارة ثم الانفجارات.

هو رأى تلك الأبراج ودار حولها، ونجح في التسلل لأحدها.. سقف عالٍ جدًّا فيه طاقة ترى منها السماء.. هناك سلم معدني يتلوى قادمًا من أسفل.. هناك غرف جانبية عليها علامات إنذار التلوث النووي وخطر الموت.. هناك مصعد عملي جدًّا يناسب المناجم والمصانع.. الإضاءة خافتة زرقاء معقمة جدًّا.. هناك باب كتب عليه بالإنجليزية: «التحكم ـ ممنوع الدخول لغير الفنيين»، وقد كررت العبارة بلغات أخرى هي الروسية والصينية ـ قد تكون اليابانية ـ والألمانية.

كل هذا سوف ينفجر.. كل هذا سوف يتلاشى.

الشرقاوي يفكر.. الشرقاوي يتأمل.

يرشف المزيد من الخمر ويغيب في محيط الخواطر.

النتيجة النهائية هي الدمار.. لن يتسع المكان لمن يعيشون في الظلام والمرض.. لن يظفر البشر كلهم بالنور. لن يتم توزيع الماء.. فقط سوف يصير الظمأ حقًا للجميع. البشر لا يقدرون على توزيع الثراء منذ فجر التاريخ، لذا اكتفوا بأن يوزعوا الفقر.

ثمة شيء طفولي في هذا التصرف كله. ضرب من هدم المعبد على الرؤوس. في طفولته كان يطلب اللهو بلعبة مع رفيقه، فإذا رفض دمر هو اللعبة التي في يده. نوع من الانتحار الجماعي. لن ينعم أحدنا بل سنلاقي الأهوال معًا.

إن سياسة «إذا مت ظمآن.. فلا نزل القطر» تلخص كل شيء. أن يفقد الجميع كل شيء، ما دمت غير قادر على التملك. وقد كان الشرقاوي يعرف اللحظات القادمة.. سوف يفشل كل شيء، وبعدها سوف يجدون كل أطراف المؤامرة ويسلخونهم أحياء، ويلقون عظامهم من فوق قمة الهيمالايا.

لكن ماذا إذا نجحت هذه الخطة السخيفة؟ الموت للجميع.. الظلام للكل كحق اشتراكي طبيعي.

هو مؤمن أنه لا جدوى على الإطلاق، لكن هناك جدوى أكيدة في الانضمام لهذا العالم السحري. إن لم تستطع قهرهم فلتنضم لهم.

سوف يتماسك «فيتوريو» و«ستافرو» و«باولا» حتى يفقد الرجلان خصيتيهما أو تفقد الفتاة عينيها، عندها سيتكلم الجميع.. وينتهي أمره.

لا يعرف كيف ولا متى وجد أن يديه تحررتا من سيطرته. انتزع الصينية من أحد مَن يحملون الشراب.. وكان ماهر يراقب المسرح، فهوى بالصينية الثقيلة على رأسه.. سقط ماهر أرضًا قبل أن يفهم ما حدث. عبث رامي في جيبه حتى وجد جهاز اللاسلكي، فانتزعه وحمله في يده.. لن يضغط أحد على أي أزرار.

يجري نحو حشد من السادة. يدنو من أحد الجنرالات ويهمس له بكلمات. الجنرال يكفهر وجهه.. ثم يقتاده إلى آخر.. واحد تلو واحد.. همسات.. كلمات...

وفي النهاية انتقلت الهمسات المتوترة لتصب في أذن كبير الحرس.

٤

الشرقاوي يتلوى في الفراش والعرق يحتشد على جبينه. جاءت الطبيبة الشابة وألقت نظرة، ثم قررت أنه يرى كابوسًا غامضًا.. كابوسًا من كوابيس المصابين بغيبوبة، تلك التي لا يحكونها أبدًا.

ربما هو يخوض حربه الخاصة في بعد آخر. ربما هو في الجحيم فعلًا.. لعل الناس يذهبون للجحيم قبل موتهم إذا أصيبوا بغيبوبة.

كان يئن وضربات قلبه تتسارع. قررت أن تراقبه قليلًا.. ربما نصف ساعة ثم تطلب رأي من هو أكثر خبرة منها.

العرق البارد يحتشد على جبينه.

* * *

العرق يعمي عينيك. أنت لعبت دور يهوذا.. بدران الذي خان سميَّك أدهم الشرقاوي، لكنك برغم كل شيء اخترت الصندوق الصحيح. لعل هذا هو خيارك منذ جئت إلى هذا العالم، لكنك

لم تدرك هذا إلا الآن.. إن كان لا منجى من الظلم، فمن الحكمة أن تكون مع الظالمين لا المظلومين.

برغم قذارة الاختيار، فهو يشعر براحة عميقة.

شعر بأنه شجاع. من يقبل أن يكون نذلًا رجيمًا يلعنه الجميع فلا بد أنه شجاع.

كانوا يصخبون.. وكنت تسمع الصراخ بعشرات اللغات.. وتسمع طلقات تدوي بالخارج. لم تكن هناك انفجارات.. لقد أجهضوا الخطة التعسة.. لا بد أن جثث الإيطاليين تحولت إلى مصفاة في الخارج. تُرى كم تبقى من جسد «فيتوريو»؟

نظر إلى الزحام حيث كان حضور الحفل، فرأى ماهر ورامي يقفان.. ماهر يضع يده على رأسه كأنه يعاني ألمًا ساحقًا، بينما رامي يرمقه بذات النظرة التي لا تجد في الحياة شيئًا يستحق.

لم يكونا ينظران له باتهام أو احتقار.. بدا له هذا غريبًا.

لو نظرا له تلك النظرة لقال لهما إنهما ـ بل الجميع ـ قد تخليا عن نجوان.. كانت تسلخ حية، لكنهم آثروا السلامة وفروا.. أنكروها ثلاثًا قبل أن يصيح الديك. من كان منكم بلا خطيئة فليرجمني بحجر.

نظرة الاحتقار الوحيدة كانت في عيني مها. تقف هناك على المسرح على بعد عشرين مترًا شبه عارية، يتنافى عريها مع نظرة الاحتقار والذهول.. بدت له سخيفة مضحكة، كأنها أقرب لدجاجة

عجوز فقدت ريشها.. ثمة أجساد لم تخلق للعري ولم يخلق العري لها.

كانت تهمس بكلمات. لا بد أنها على غرار: «مستحيل.. لماذا فعلت هذا يا أحمق؟».

ـ أي «ستنسون»!

يا من كنت معي على السفائن في «ميلاي»..

هل بدأت الخضرة تنبت من الجثة التي زرعتها في حديقتك العام الماضي؟

ألا فلتطرد الكلب بعيدًا عن جنباتها

وإلا نبش بأظفاره فأخرج الجثة من جديد.

سمع صخبًا.. سمع جلبة.. سمع شهقات.

* * *

أن تعرف الحقيقة

بعد لحظات ظهرت مجموعة من الرجال المسلحين يحيطون برجل أصلع الرأس بادي السلطة.. ومن حوله كان بعض رجال عسكريين يضعون رتبًا مبهمة، كأنهم جنرالات دولة لم توجد بعد. اعتلى الأصلع المسرح وتناول مكبر صوت.. دوت الشهقات.. فهتف:

ـ كانت هي اللحظات النهائية.. مؤامرة محكمة كادت تغير حياتنا

للأبد، لكننا أحبطنا المؤامرة وقتلنا بعض من حاولوا الفرار.. فيما بعد سوف نعرف من هم ومن أين جاءوا.

ثم نظر إلى الشرقاوي في امتنان وسأله بالإنجليزية:

ـ من أنت أيها المنقذ؟

ـ أنا آتٍ من دنيا الظلام.. من ممر الفئران حيث فقد الموتى عظامهم.

ـ كيف جئت؟

ـ لا أعرف... لعله حلم طويل قاسٍ.

ـ من أي عالم جئت؟

ـ من أرض أخرى.

شهق الجميع غير مصدقين.. إنها النبوءة.. النبوءة التي انتظروها طويلًا. كانوا يبحثون عن القائد.. هناك تجويف يشبه القومندان في عالمهم وكانوا في حاجة إلى من يملؤه، وقد كانت شروط نبوءة الكاهن البوذي تنطبق بشدة.. رجل أربعيني قادم من الظلام، لكنه قبلها جاء من لامكان.. رجل سوف ينقذهم جميعًا من الهلاك. لم يعترفوا لأنفسهم قط أن القومندان لا وجود له، أما الآن فقد صار موجودًا.

وقال الجنرال الأول:

ـ أنت جئت من رحم اللامكان.

وقال جنرال ثانٍ:

ـ كأنك وعد أو نبوءة تحققت.

وقال جنرال ثالث:

ـ كل شيء في قدومك عجيب ساحر.

وقال جنرال رابع:

ـ إن في قدومك علامة.

ارتجف الشرقاوي وهو يدرك الحقيقة. كان هو المختار فعلًا.. منذ البداية كان المختار، وكان لقدومه لهذا العالم غرض واضح محترم. فقط ثمة مشكلة بسيطة هي أنه المختار لعالم الظالمين وليس لعالم المظلومين!

لقد أرادت لك الأقدار أن تكون طاغية لا ضحية.. قاهرًا لا مقهورًا.. أنت تنتمي للنور ولسوف تنعم به، وتسحق من هم ما زالوا في ممر الفئران.

٥

هذه هي اللحظة يا شرقاوي.

تدرك الآن أنك كنت في ظمأ لها منذ القدم.

كنت تتعذب بعقلك والشوق إلى شيء لا تدري كنهه.. «عندما يبدأون في جراحات استئصال العقل، فلسوف أكون أول من يتطوع». ألم تقل هذا مرارًا؟

الحاجة إلى لفافة تبغ بحجم الكون نفسه.. بحجم الثقوب السود.. بحجم الأنفاق الدودية بين المجرات.

الحيرة بين الجنس والمال والعلم.

كنت تشعر بالهزيمة والخنوع، وأنك في أدنى سلم القهر يظفر بك الجميع.

الحقيقة أنك كنت تطمع في السلطة.. في السيطرة.

«القرص المنوم قد بدأ يعمل. يرتجف خوفًا من اليوم الذي يعتاد

فيه جسده هذه الأقراص ليتركه النوم وحيدًا مع وحوش أفكاره.. يتركه مع عقله. رباه.. لا أريد أن أواجه عقلي.. أنا أهابه كالموت».

هذا هو نادي المنتصرين.. ملتقى الأقوياء.

إنها اللحظة المجيدة.

الراقصات يقفن متصلبات على مسافة وقد غمرتهن الرهبة.. تعلو صدورهن الجميلة وتهبط. من الغريب أنك فجأة صرت قادرًا على الاشتهاء كشهريار. السيطرة ردت عليك رجولتك.

كل من في الحفل ينظر إليك في تهيب، والشاشات العملاقة تنقل وجهك. يا سادة هذا هو المختار والذي سيكون القومندان. مولد عهد جديد.. القومندان لن يظل فكرة.. بل هو الحقيقي.. إنه مخلصنا الذي أتى من لامكان ليحفظ لنا ما نحن فيه.

فليتعظم.. فليتقدس.

توشك أن ترى الرؤوس تنحني من أجلك.. الجنرالات من أرجاء العالم يطرقون في تبجيل.

يمكنك أن ترى ماهر و«باولا» ورامي ورفاقه معلقين بين الجبلين وقد تدلت جلودهم المسلوخة.. من أجلك أنت يسعى رجال الشرطة في ممر الفئران بنظاراتهم وينتشر كهنة الظلام، ويتم تكفير الضوئيين.. من أجلك أنت ترتعش الفتيات وهن يحلمن ليلًا، ويعوي الذين تمزقهم الكلاب، ويتحسس الناس الجدران الرطبة في الظلام، ويخشون الكلام بصوت عالٍ فقد يسمعه بصاص.

أنت قد ظفرت بالقوة.. قوة خارقة لا تصدق.. قوة ظمأتَ لها كثيرًا حتى إنك استحققتها فعلًا.

لن تعود إلى ممر الفئران.

* * *

الأحلام هي: «ما رأيناه.. ما سمعناه.. ما عرفناه.. ما نتمنى أن نجربه.. ما نحن مرغمون على أن نجربه.. ما تخيلناه.. ما هو طبيعة في أجسامنا».

هكذا مر عام على الشرقاوي في غيبوبته.

ما زال في نفس الرقاد، ونفس الاختلاجات، ونفس اللهاث من وقت لآخر.

ابتسامة الرضا على شفتيه لا محل لها من الإعراب، لكنها موجودة. خطر للممرضة أنه رجل تقي مؤمن يرى بصيص الجنة.. وخطر للطبيب أن هذا رجل حقق حلمه أخيرًا.

أدرك الطبيب كذلك مع الوقت أن الشرقاوي لم يعد بحاجة لوسائل الإحياء. لا يحتاج لشيء.. إنه بصحة طيبة وكل أجهزته تعمل بكفاءة. تنفس منتظم.. ضربات قلب منتظمة.. ضغط دم ممتاز.. موجات دماغية هادئة.. فقط هو لا يفيق، ومن الواضح أنه لن يفيق أبدًا.

كان الطبيب قد سمع حكاية مسلية عن أننا عندما نحلم، فإننا

في الحقيقة ننتقل لبعد آخر.. نمارس حياة أخرى ونعيش مشاكل أخرى. عندما نصحو تبقى صور شاحبة غير مفهومة نحسبها أحلامًا.. الحقيقة أنها ذكريات.. هل الشرقاوي ينعم بالاكتمال والمجد في بعد آخر؟

وماذا عن الزوجة؟

الزوجة التي كانت في أسوأ حال، وكانت تطالب بوقف الأجهزة ليريح المريض ويستريح، هي الآن تبدو سعيدة راضية. تأتي في الصباح الباكر منتعشة ريانة كأنما كانت في ليلة حب حافلة. صارت ترمق النائم في رهبة وإجلال، نظرة أنثى منبهرة برجلها. وصار من الجلي أنها كالطبيب تؤمن أنه لن يفيق.

منذ يومين دخل ليجدها مرتمية على صدر مريض الغيبوبة وهي تلتهم شفتيه وتعتصر جسده بين ذراعيها. لدرجة أنه شدها بشراسة بعيدًا عنه.

هذا رجل تحقق ـ قالها الطبيب لنفسه ـ وهذه أنثى فخور لأن رجلها تحقق. لماذا؟ هل تزوره ليلًا في ذات البعد الذي ارتحل إليه؟ هل ترتاد معه ذات العالم؟ على الأرجح لو سألها لما ظفر بإجابة، لأنها ببساطة لا تعرف.

لا مجال لتلك الأسئلة الميتافيزيقية، لأنها ككل أسرار الكون بلا جواب.

سيموت الشرقاوي يومًا، ثم تموت هي، ثم يموت الطبيب نفسه.

ربما في عالم آخر يجلس الجميع ليتبادلوا الحكايات ويفسروا كل شيء. أما اليوم فالشرقاوي يبدو راضيًا سعيدًا.. وتلك الابتسامة الشاحبة على شفتيه لا ترحل أبدًا وتطرح ظلال أسئلة لا حصر لها.. دعوه إذن. لقد استحق هذا النصر.